Y Cwlwm Cêl

Elizabeth Watkin-Jones

Diweddarwyd gan Hugh D. Jones

GOMER

Argraffiad gwreiddiol — Ebrill 1947
Ail argraffiad (wedi'i ddiweddaru) — Chwefror 1986

ISBN 0 86383 206 7

Dymuna'r cyhoeddwyr gydnabod cymorth a chyfarwyddyd
Adrannau'r Cyngor Llyfrau Cymraeg a noddir gan Gyngor
Celfyddydau Cymru.

Argraffwyd gan J. D. Lewis a'i Feibion Cyf.,
Gwasg Gomer, Llandysul, Dyfed

Pennod 1

Oedd, yr oedd ysbryd ym Mhlas Bryn Mynach. Wyddai neb yn y byd ysbryd beth na phwy, ond yr oedd rhywbeth yn aflonyddu ar y teulu.

Nid oedd Llywelyn ap Maelgwyn wedi byw yn hir iawn yno. Swyddog ym myddin Cromwell oedd Llywelyn, ac yr oedd wedi rhoi ei eiddo a'i gyfoeth at wasanaeth y Senedd ym mlynyddoedd cyntaf y Rhyfel Cartref.

Ar ôl dienyddio'r Brenin Siarl, meddiannodd Cromwell dai a thiroedd amryw o Frenhinwyr blaenllaw, a'u rhoi i'w ddilynwyr fel tâl iddynt am wasanaeth, ffyddlondeb ac aberth yn ystod y rhyfel. Eiddo felly oedd Plas Bryn Mynach. Yr oedd ei wir berchennog, Syr Arthur Vaughan, wedi dilyn ei frenin drwy'r holl helyntion ac wedi bod yn gymaint draenen yn ystlys y Seneddwyr ar ôl hynny nes ei garcharu ganddynt yn ninas Caer.

Safai'r plas ar fryn isel a elwid Bryn Mynach gan mai yma y gorffwysai'r mynachod pan fyddent yn teithio trwy Nefyn ar eu pererindod i Ynys Enlli, flynyddoedd cyn heldrin y Rhyfel Cartref. Ymsythai bryniau'r Gaerdderwest y tu ôl iddo, ynghyd â'r Gwylwyr ar y dde, a'r Garn ar y chwith. O'i flaen ymdaenai'r môr, ac ar ddiwrnod clir gellid gweld mynyddoedd Iwerddon o ben tyrau'r hen dŷ.

Ar nos Sul drymaidd, glòs, tua diwedd Awst 1658, eisteddai Nest, unig blentyn Llywelyn ap Maelgwyn, wrth lygedyn o dân mawn yn neuadd Plas Bryn Mynach.

'Mam,' meddai'n sydyn wrth wraig ganol oed a eisteddai gyferbyn â hi, a'i llaw yn chwarae yn ysgafn â'r brodwaith mewn ffrâm bren a safai gerllaw. 'Mam, peth rhyfedd na fuasai rhywun wedi gweld yr ysbryd y mae cymaint o sôn amdano yn y tŷ 'ma.'

'Paid â siarad amdano fo yn fy nghlyw i,' meddai'r fam. 'Dydw i ddim yn credu am funud fod yma ysbryd. Mae'n wir fod rhywun neu rywbeth yn troi a throsi'r celfi a'r dodrefn ar ôl i ni fynd i'r gwely, ond credu ydw i mai llaw ddynol sy'n gwneud peth felly ac nid ysbryd, a gorau po leiaf i ti a minnau feddwl amdano. Edrych ar y brodwaith 'ma, Nest. Pa liw fuasai orau i'w roi ar y rhosyn 'ma? Mae'n bryd i mi ei orffen bellach. Oni bai ei bod hi'n Sul, mi fuaswn wedi gweithio cryn dipyn arno heddiw.'

'Lliw coch neu wyn,' meddai Nest. Ond yr oedd yn amlwg nad ar y brodwaith yr oedd ei meddwl. 'Ydych chi wedi sylwi, Mam, mai ar nos Sul y bydd yr ysbryd yn ymweld â'r tŷ 'ma amlaf? Ar fore dydd Llun y bydd y genethod yn cwyno fod pethau wedi cael eu troi a'u symud yn ystod y nos. Mae Malen yn dweud bod un arall o'r morynion am ymadael o achos y peth. Peth rhyfedd na fuasai rhywun yn ei weld, yntê?'

'Does yna ddim i'w weld, eneth. A phaid â siarad mor ffôl,' meddai ei mam yn ddiamynedd. 'Llaw ddynol sy'n gwneud y pethau ynfyd yna i gyd, a gwae fo pan gaiff dy dad afael ynddo!'

'Ond sut y mae o'n gallu dod i mewn i'r tŷ?' dadleuodd Nest, gan fynnu dal at ei thestun. 'Mi fyddwn yn cloi'r drysau a'r ffenestri bob nos, ac mae barau haearn arnyn nhw. Ac eto, roedd y darn

6

tapestri sydd yn fy ystafell i wedi ei droi un noson â'i wyneb tua'r mur, er fy mod i wedi rhoi'r bar ar ddrws fy ystafell ac ar fy ffenestr y noson honno!'

Cododd y fam ar ei thraed, ac meddai gan hanner gwenu, 'Mi fuasai'n well gen i siarad am ysbryd Plas Bryn Mynach, gan mai dyna fynni di ei alw, yn y bore nag ar noson drymaidd fel heno. Rydw i am fynd i'r gwely. Dydi fy nghefn i ddim wedi bod yn rhyw dda iawn heddiw, ond mae'n siŵr mai ar y tywydd y mae'r bai. Rydw i'n credu ei bod yn ter-fysgu, Nest. Ydi'n wir! Glywaist ti'r daran 'na? Dos i roi llenni dros y drychau. Mae'r arian byw yn siŵr o dynnu mellt!'

Cyn bod Nest wedi gorffen y gwaith o orchuddio'r drychau, yr oedd y glaw yn pistyllio a'r taranau yn dod yn nes. Clywai'r cŵn yn cyfarth oddi allan, a phan edrychodd drwy'r ffenestr, gwelodd fellten yn goleuo'r hen eglwys a safai yng nghwr coed Bryn Mynach gan wneud i'r tŵr a'r clochdy edrych fel petaent wedi eu peintio ag inc yn erbyn awyr gochddu. Clywai lais ei thad yn y cyntedd yn rhoi gorchymyn i un o'r gweision ynglŷn â chloi rhyw geffyl mewn ystabl arbennig. Yna clywodd ef yn dod i'r tŷ ac yn tynnu'r bolltau trymion ar draws y drws. Gwyddai yr âi ei thad o amgylch y tŷ i weld fod pob drws a ffenestr wedi eu cloi a'u sicrhau â'r barau mawrion. Beth bynnag oedd yn aflonyddu arnynt yn ystod oriau'r nos, gan droi a throsi'r dodrefn a'r taclau, nid oedd modd iddo ddod i mewn na mynd allan heb gyflawni gwyrth.

Aeth Nest i'w hystafell a thynnodd y llenni melfed dros y ffenestr. Yna, wedi gweld fod y clo yn ei le, tynnodd y bar ar draws y drws cyn rhoi'r blwch tân wrth ymyl ei gwely a diffodd y golau.

7

Bu'n hir cyn syrthio i gysgu, ond o'r diwedd clywai sŵn y taranau yn mynd ymhellach, ymhellach, a syrthiodd hithau i gwsg trwm.

Pa hyd y bu'n cysgu, ni wyddai, ond deffrowyd hi'n sydyn gan sŵn taran yn clecian nes oedd y tŷ yn crynu ar ei sylfeini ac atsain y rhyferthwy yn diasbedain rhwng yr hen fynyddoedd a'r creigiau. Dilynwyd y daran gan fellten a oleuodd yr ystafell fel canol dydd, ac yn fflach y golau, gwelodd Nest wyneb yn syllu arni—wyneb bachgen!

Edrychodd y ddau ym myw llygaid ei gilydd am amrantiad yn y fflach golau, ond y funud nesaf yr oedd yr ystafell yn ddu fel y fagddu, a'r lle yn crynu yn sŵn y daran a ddilynodd y fflach.

Mewn eiliad yr oedd y blwch tân yn nwylo Nest, a'r gannwyll a oedd yn y corn wrth ei hymyl wedi ei goleuo. Ond yr oedd yr ystafell yn wag. Nid oedd neb yno!

Pennod 2

Neidiodd Nest o'i gwely ac aeth ar ei hunion at y drws. Yr oedd y bar ar ei draws, yn union fel y rhoddodd ef cyn mynd i'w gwely. Nid oedd neb wedi ymyrryd ag ef. Tynnodd y llenni melfed oddi ar y ffenestr, ond nid oedd neb yn cuddio y tu ôl iddynt. Edrychodd dan y gwely oedd â'i byst cerfiedig yn cyrraedd y nenfwd, ond nid oedd neb yn y fan honno, chwaith. Nid oedd simdde yn yr ystafell, ac felly nid oedd mynediad i mewn nac allan y ffordd honno. Yr oedd yr ystafell yn wag, nid oedd

8

amheuaeth ynghylch y peth. Yr oedd y bachgen wedi diflannu i rywle. Ond i ble, a sut? Tybed ai'r ysbryd ydoedd? Ni allai na bar na chlo rwystro ysbryd rhag diflannu. Beth oedd yr esboniad?

Agorodd Nest y cwpwrdd mawr cerfiedig a safai yn erbyn y mur. Yma y cadwai ei gwisgoedd. Tynnodd hwynt allan bob yn un rhag ofn fod rhywun yn cuddio y tu ôl iddynt, ond yr oedd y cwpwrdd yn hollol wag.

Nid oedd ganddi unman arall i chwilio. Nid oedd yr ystafell yma wedi ei phanelu â choed fel y mwyafrif o ystafelloedd Plas Bryn Mynach. Yr oedd y neuadd a'r ystafell fwyta a'r prif ystafelloedd wedi eu panelu â derw cerfiedig, derw a dyfasai ar lethr y Garn ac a gerfiwyd gan law fedrus rhyw grefftwr cywrain o Nefyn flynyddoedd yn ôl. Ond am ystafell y tŵr, lle cysgai Nest, nid oedd y mur ond cerrig moelion, wedi ei addurno yma ac acw â darnau o dapestri gwerthfawr a gyrhaeddai o'r to i'r llawr, ynghyd â llenni melfed o liw porffor o amgylch y gwely a'r ffenestr.

Nid oedd neb wedi gallu dod i mewn trwy fur o gerrig ac ni allai ond aderyn fynd i mewn ac allan trwy ffenestr uchel y tŵr, hyd yn oed pe digwyddai i Nest anghofio rhoi'r bar arni. Dyna oedd yn rhyfedd. Yr oedd bar ar y drws ac ar y ffenestr. Nid oedd agoriad dirgel yn unlle yn y mur gan nad oedd wedi ei banelu, ac eto, yr oedd rhywun wedi bod yn yr ystafell y noson honno.

Ni allai Nest ddeall peth fel hyn. Tybed a oedd yna fwgan mewn gwirionedd ym Mhlas Bryn Mynach? Ysbryd bachgen glandeg! Na, yr oedd hynny yn rhy afresymol er bod Nest yn gwybod yn ddigon da fod llawer iawn o bobl yn credu'n gryf mewn ysbrydion a phethau anesboniadwy o'r fath.

'Dydw i ddim wedi dychmygu fy mod i wedi gweld rhywun, nac wedi breuddwydio chwaith,' meddai Nest wrthi ei hun, 'ac eto, does yna'r un esboniad arall i'r peth, os nad oedd o mewn gwirionedd yn ysbryd! Wel, os ydw i wedi gweld ysbryd, does arna i ddim mymryn o'i ofn o, beth bynnag!' Aeth yn ôl i'w gwely, ond gadawodd y gannwyll yn olau.

Yr oedd y storm erbyn hyn wedi bwrw ei chynddaredd, a sŵn y taranau fel rhu magnelau yn y pellter. Ond yr oedd cwsg ymhell o lygaid Nest. Bu am oriau yn pendroni a dyfalu ynghylch yr hyn a welodd yng ngolau'r fellten. Yr oedd yr adar yn canu yn y goedwig, a chlywai sŵn y gweision a'r morynion yn mynd o gwmpas eu gorchwylion cyn y gallodd gau ei hamrannau.

Cysgodd mor drwm fel na chlywodd gloch y borebryd yn canu a bu'n rhaid i'w mam fynd i ystafell y tŵr i'w deffro. Bu'n curo'n drwm ar y drws cyn i Nest ei chlywed a neidio o'i gwely i agor iddi.

'Mi fyddaf yn rhoi'r bar bob nos, Mam,' meddai.

'Eithaf peth, wir,' meddai ei mam. 'Gelli fod yn dawel dy feddwl na ddaw'r ysbryd y soniaist amdano neithiwr i aflonyddu arnat ti os bydd y drws ar glo. Ond o ran hynny fuasai'r un ysbryd yn ei bwyll yn mentro allan ar y fath noson. Oedd arnat ti ofn y mellt, Nest?'

'Oedd, braidd,' meddai Nest, gan feddwl beth mewn difrif a ddywedai ei mam pe gwyddai fod yr ysbryd wedi bod, er gwaetha'r storm.

'Ysbryd neu beidio,' meddai Nest wrthi ei hun, 'os gwelaf ei wyneb yn rhywle eto, mi fyddaf yn sicr o'i adnabod!'

Pennod 3

Penderfynodd Nest beidio â sôn wrth neb am helynt y nos. Ni fuasai ei thad na'i mam byth yn credu'r fath beth, a byddent yn sicr o ddweud wrthi mai wedi breuddwydio yr oedd. Peth arall, nid oedd ei mam yn gryf ei hiechyd. Yr oedd yn cwyno ers rhai wythnosau bellach o ganlyniad i ddamwain a gafodd wrth fynd i lawr y grisiau o ystafell y tŵr. Yr oedd ei throed wedi llithro a hithau wedi syrthio gan anafu gewynnau ei chefn. Ar brydiau teimlai'n bur boenus.

Y bore hwn yr oedd y boen yn digwydd bod yn waeth nag arfer ac ni allai Nest beidio â sylwi ar hynny wrth weld ei mam yn eistedd yn anniddig wrth y bwrdd.

'Ydi'r boen yn waeth heddiw, Mam?' gofynnodd.

'Mae'n ofidus iawn ar brydiau,' meddai hithau, 'ond rydw i'n cysuro fy hun fod a wnelo'r tywydd mwll 'ma rywbeth â'r peth.'

Yr oedd un o'r morynion yn digwydd dod â'r bwyd i mewn ar y pryd.

'Maddeuwch i mi am gymryd hyfdra i grybwyll y peth, meistres,' meddai, 'ond yr oedd gan Mam boenau arteithiol yn ei gewynnau, ac mi aeth at Sibi'r Widdan i ben Carreg Llam i ymofyn peth o'r olew sydd ganddi at y gewynnau. Mae'n ei wneud â rhyw gymysgedd o wêr, a sudd llysiau'r esgyrn, carn yr ebol, ysgall y gors a dail o'r fath, meddai Mam. Mae'n ddiguro at leddfu poen.'

'Rydw i wedi clywed am hen widdan beisgoch Carreg Llam, a'i gallu i wneud cyffuriau a diodydd iachusol allan o lysiau,' meddai Nest. 'Mi fydd yn arfer curo gwyn wyau'r gwylanod sydd yn nythu ar y creigiau, ac yn ei gymysgu â'r diodydd.'

'Ie,' meddai'r fam, 'mi glywais innau hefyd sôn am yr hen wraig ac mae gen i flys cael peth o'r olew. Wnaiff o ddim drwg, beth bynnag. Beth ydi dy farn di, Nest?'

'Mi af yno i geisio peth, heddiw nesa',' meddai Nest. 'Wnaeth eli'r apothecari ddim lles o gwbl i chi.'

Diwrnod tawel, tesog ydoedd, a'r terfysg heb orffen cilio o'r awyr. Cychwynnodd Nest ar draws y caeau a heibio i hen eglwys Pistyll nes cyrraedd llechweddau Carreg Llam.

Yr oedd yn rhaid cerdded yn ofalus yn y fan yma. Roedd y borfa hallt wedi ei phori'n llwyr gan ugeiniau o ddefaid a geifr, a'r tir yn llithrig yn y gwres. Dringodd Nest yn araf nes daeth hi i ben y graig, ac arhosodd yno am funud gan edrych ar y môr oddi tani cyn croesi i'r ochr arall at fwthyn Sibi'r Widdan. Yr oedd y llanw i mewn a'r tonnau yn curo'n gynhyrfus gan dorri'n ewyn gwyn yn erbyn wyneb y graig. Rhedai afon ar draws y clogwyn a chlywai Nest faldordd y dŵr wrth iddo ddisgyn i lawr y dibyn serth. Ar y dde, ymhellach i mewn i'r tir, yr oedd traethell fechan, a rhuthrai'r tonnau'n gyflym i mewn iddi. Yna, fel petaent wedi diffygio, llithrent yn ôl, gan sugno'r graean i ddannedd y don nesaf. Ymdroai meddwl Nest gyda'r straeon a glywsai am y môr-ladron a arferai ddefnyddio'r ogofau yn llochesau pan ddeuent i dir.

'Rhyfedd,' meddyliodd, 'fel y mae pob eglwys ar hyd y glannau 'ma yn wynebu'r môr! Dyma'r eglwys fach yn y fan yma yn union gyferbyn â'r hafn ddofn sydd yn rhedeg i'r môr, a dyna borth eglwys Nefyn wedyn yn wynebu'r môr yn syth trwy

12

ddyffryn cul Aberafon. Tybed fod yna gysylltiad rhwng môr-ladron y dyddiau gynt a'r eglwysi?' Ond cyn iddi roi rhaff ymhellach i'w hamheuon torrodd sŵn gwahanol i ru'r weilgi a baldordd y dŵr yn sydyn ar ei chlustiau, sŵn brefiad oen.

Yr oedd ugeiniau o ŵyn diweddar yn pori ar y llethrau o'i chwmpas, a'u brefiadau yn cael eu boddi gan ruthr y tonnau yn erbyn y creigiau. Ond yr oedd y sŵn yma islaw iddi yn rhywle, a goslef y brefiad yn dorcalonnus gan ofn. Gorweddodd Nest ac edrychodd dros y dibyn ysgythrog, danheddog, a gwelodd y rheswm.

Yr oedd dafad wedi gallu ymlwybro i lawr y dibyn serth, ac yn sefyll ar ddarn o graig a safai fel silff gul rhyw droedfedd o led ar wyneb cribog y graig. Ymledai'r silff ymhellach ymlaen, a gallai'r ddafad ddringo i ddiogelwch y ffordd honno yn hawdd. Ond yr oedd ei hoen wedi ei dilyn, ac yr oedd gagendor bychan rhyngddynt. Yr oedd y ddafad wedi llwyddo i'w groesi, rywfodd, ond safai'r oen yr ochr arall gan frefu'n dorcalonnus. Brefai'r ddafad ar i'r oen ei dilyn, a brefai yntau'n erfyniol ar iddi ddod i'w nôl, tra ehedai'r gwylanod o'u cwmpas gan wichian yn ffwdanus ac aflafar.

Wrth i Nest grymu ei phen yn is dros y dibyn gallai ddeall yn iawn beth oedd wedi digwydd, a gwelai argyfwng yr oen.

'O'r fam wirion iti, yn mynd â'th blentyn i'r fath le,' meddai'n ddig wrth y ddafad. 'Mi fedri di fynd oddi yma, ond fedr yr oen byth dy ddilyn di. Yn sicr fedr o ddim troi'n ôl yn y fan yna, hyd yn oed pe bai ganddo ddigon o synnwyr i feddwl am hynny! Trugaredd i ti fy mod wedi dy weld ac y gallaf ddringo i lawr dibyn serth fel hyn heb gael y bendro!'

Trodd ei chefn tua'r môr, a dechreuodd ddringo i lawr wyneb y graig ysgythrog. Ceisiai roddi ei thraed yn ofalus yn yr agennau gan afael yn dynn yng ngwreiddiau'r môr-lysiau a dyfai yma ac acw yn y cilfachau lle nythai'r gwylanod. Hedai'r gwylanod yn gynhyrfus o'i chwmpas gan feddwl ei bod yn mynd i ymyrryd â'u nythod ac yr oedd eu hoernadau gwichlyd yn ei byddaru. Cyrhaeddodd y silff lle safai'r oen, a chan afael mewn tusw cryf o binc-y-môr ag un llaw, gwyrodd a chododd yr oen â'r llaw arall. Yna, camodd dros yr agendor a dododd ef i lawr wrth ymyl ei fam. Rhoddodd y ddafad fref ac aeth ymlaen yn gyflym dros y rhimyn cul o graig, a'r oen ar ei hôl.

Safodd Nest am funud i geisio cael ei hanadl yn ôl cyn dilyn y ddafad i ddiogelwch. Daliai i wyn-ebu'r graig, â'i chefn tua'r môr, am fod y tonnau berwedig oddi tani yn ei syfrdanu. Nid oedd an-hawster i sefyll yn y fan yma gan nad oedd y silff greigiog, er yn gul, gul, yn llithrig. Yr oedd haenen o raean tywodlyd arni, ac ychydig dyfiant cras hyd yr ymylon. Cychwynnodd Nest ymgripian ymlaen er mwyn cyrraedd man lletach, gan ddal ei hwyneb at y graig o hyd. Rhoddodd ei throed ar dwmpath o hesg y tywod a dyfai, yn ôl ei thyb hi, ar y graig. Ond y funud nesaf, rhyddhaodd y graean a syrth-iodd y twmpath hesg yn dalp tywodlyd i'r eigion islaw.

Am eiliad, daliodd Nest ei gafael mewn gwreidd-yn o rug cryf a dyfai mewn agen uwch ei phen, a cheisiodd ei gorau chwilio â blaenau ei thraed hyd wyneb y graig am le iddynt orffwys. Ond nid oedd agen i'w theimlo yn unman. Yr oedd y twmpath tyfiant a syrthiodd i'r môr wedi gwneud gagendor eto yn y silff, a hongiai Ṇest uwch ei ben. Ceisiodd roddi naid ymlaen er mwyn cael ei thraed ar y rhimyn llwybr unwaith eto. Ond wrth wneud hynny teimlai'r gwreiddyn grug y gafaelai ynddo yn rhyddhau, a phan oedd ei throed ar fin gorffwys ar fan diogel, dadwreiddiodd y grug yn gyfan gwbl, a hyrddiwyd hithau yn bendramwnwgl i'r dyfnder islaw.

Rhoddodd un waedd o ddychryn, ac yna caeodd y tonnau eu safn amdani, a hedodd y gwylanod yn ôl i'w nythod gan grochlefain eu llawenydd am mai hwy oedd brenhinoedd Carreg Llam unwaith eto.

Pennod 4

Llithrai cwch bychan o gyfeiriad Nant Gwrtheyrn am Nefyn a bachgen talgryf, lluniaidd yn ei rwyfo. Daliai ei lygaid craff, tywyll i edrych tua phenrhyn Porth Dinllaen fel petai'n disgwyl gweld rhyw arwydd gan rywun o'r darn tir a ymestynnai fel braich hir allan i'r môr gyferbyn ag ef.

Pan ddaeth i olwg Carreg Llam, synnodd glywed y gwylanod yn y fan honno yn cadw'r fath drwst a thrydar.

'Rhywun yn dringo i lawr ar ôl eu hwyau,' meddai wrtho'i hun. Gwelai ryw ysmotyn gwyn fel petai'n hongian wrth wyneb y graig, ond ni feddyliodd am foment fod neb mewn unrhyw berygl. Gwyddai'r bachgen yn eithaf da mai'r ffordd o gael at nythod

15

y gwylanod ar wyneb Carreg Llam oedd gwneud sigl-adenydd â rhaff gref. Rhwymid pen y rhaff o gylch darn o graig ar y copa, a byddai dau neu dri o'r cwmni yn y fan honno yn gollwng y rhaff i lawr, neu yn ei thynnu i fyny fel y byddai'r galw gan yr un a ollyngid i lawr ar y sigl-adenydd i gyrchu'r wyau.

Edrychodd y bachgen i fyny ar gorun y graig ond, er ei syndod, ni welai neb yn y fan honno.

'Gwaith go beryglus mentro ar ei ben ei hun i gasglu wyau. Pwy ydi o, tybed?' ymsoniai'r bachgen gan rwyfo'n araf yn nes at Garreg Llam a dal i edrych ar yr un a oedd ar wyneb y graig.

Yn sydyn, dechreuodd rwyfo'n gyflym, gyflym. Geneth oedd yr ysmotyn gwyn ar wyneb y graig, ac yr oedd mewn enbydrwydd. Beth oedd yn galw am i'r eneth fynd i'r fath le?

Cyflymai'r cwch bychan trwy'r tonnau, a phan agosâi at y graig rhoddodd y bachgen waedd. Gwelai'r eneth yn disgyn yn bendramwnwgl i lawr i'r môr ac yn suddo o'r golwg! Gwyddai y deuai i fyny drachefn, a phan ddaeth, yr oedd yntau yn ei haros. Gafaelodd ynddi a thynnodd hi i mewn i'r cwch.

Gorweddai'r eneth yn llipa, farw, ond gwelai'r bachgen ei bod yn anadlu. Trodd y cwch yn ôl, a rhwyfodd yn gyflym gan ddal i syllu ar wyneb yr eneth. Gwyddai yn eithaf da y deuai ati ei hun yn y man, ond yr oedd yn rhaid iddi gael ymgeledd a chynhesrwydd yn ddiymdroi.

Wedi cyrraedd cilfach yn yr hafn rhwng Carreg Llam a Nant Gwrtheyrn, taflodd y bachgen angor o'r cwch. Gafaelodd yn yr eneth a chariodd hi i'r traeth a thrwy allt goediog. Yma, lle tyfai'r ynn, y

16

deri a'r criafol, yr oedd natur yn tyfu'n wyllt. Yma ac acw yn y coed ymsythai creigiau talsyth a ridyllid gan fân ogofau lle y llochesai'r anifeiliaid gwylltion. Rhedai llwybr troellog rhwng gwrychoedd tewfrig o'r traeth, a brigau'r ynn yn ymwáu'n blethedig trosto. Arweiniai at fwthyn dan glogwyn serth yng nghysgod trwm y coed, ac edrychai'r llinyn mwg a ddihangai o'r simdde fel petai'n codi'n syth o'r llwyni cyll a'r eithin. Bwthyn gwael yr olwg ydoedd o'r tu allan, ond yr oedd y tu mewn wedi ei drefnu yn bur wahanol i fythynnod cyffredin yr ardal. Rhoddwyd yr eneth i orwedd ar fainc esmwyth mewn ystafell lle safai gwely â'i gwrlid a'i lenni o ddefnydd sidanaidd.

Aeth y bachgen allan, ac yn y man daeth yn ôl a gwraig urddasol yr olwg yn ei ddilyn. Yr oedd yn amlwg nad oedd yn cymeradwyo gwaith y bachgen yn dod â'r eneth i'r bwthyn.

'Roeddet ti ar fai yn dod â hi yma,' meddai. 'Mi ddylet fod wedi rhwyfo'r bad i draeth Nefyn, a cheisio cymorth iddi yn y fan honno. Fedrwn ni ddim bod yn rhy wyliadwrus, a phwy a ŵyr beth fydd canlyniad hyn!'

Tra siaradai yr oedd y wraig yn prysur ymgeleddu'r eneth. Rhoddodd hi i orwedd ar y gwely a cheisiodd ganddi yfed rhywbeth o gostrel. Yn araf, gwelid arwyddion ei bod yn dadebru, ac aeth y wraig at y drws.

'Brysia ddod â'r dŵr poeth yma, Mabli!' galwodd. 'Mae hi'n dechrau dod ati ei hun!'

Ar y gair, daeth morwyn, gwraig mewn oed, i'r ystafell â chostrel yn ei llaw. Sisialodd rywbeth yng nghlust ei meistres ac ysgydwodd hithau ei phen. Yn y man, agorodd yr eneth ei llygaid ac

17

edrychodd yn wyllt o'i chwmpas.

'Ble'r ydw i? Beth sydd wedi digwydd?' gofynnodd. 'Sut y dois i i'r fan yma?' Yn raddol, daeth cof yn ôl. 'O, rydw i'n cofio!' meddai dan grynu, 'Y môr a'r tonnau! Roeddwn i'n meddwl fy mod yn boddi!'

'Rydach chi'n berffaith sâff rŵan,' meddai'r wraig. 'Fy mab welodd chi ac mi fu'n ddigon ffodus i allu eich achub. Ceisiwch yfed peth o hwn rŵan. Eto, os medrwch chi. Fedrwch chi ddweud pwy ydych chi a beth ydi'ch enw?'

'Nest,' meddai hithau, 'Nest, merch Llywelyn ap Maelgwyn o Blas Bryn Mynach.'

Syrthiodd ei llygaid am y waith gyntaf ar wynebau'r rhai a safai o'i chwmpas. Er ei syndod, gwelai fod wyneb y wraig wedi mynd mor wyn â'r galchen, a'i gwefusau'n dechrau crynu.

Disgynnodd y gostrel o law'r forwyn a chlywodd Nest hi'n sisial, 'Y nefoedd fawr! Pa helbul mae Hywel wedi ei dynnu ar ein pennau ni!'

Trodd Nest ei llygaid i gyfeiriad y bachgen a'i hachubodd, a bu'n agos iddi lewygu am yr ail dro. Yr oedd yn edrych i'r wyneb a welodd yn ei hystafell y noson cynt!

Gwyddai yn awr i sicrwydd nad wedi breuddwydio yr oedd nac wedi gweld ysbryd, chwaith. Y tu hwnt i bob amheuaeth, yr oedd y bachgen yma wedi bod ym Mhlas Bryn Mynach y noswaith cynt. Ond i beth? Yr oedd yn ddirgelwch hollol sut y daeth i mewn ac allan. Penderfynodd beidio â chymryd arni ei bod wedi ei adnabod, a gwnaeth lw hefyd y byddai'n datrys y dirgelwch.

Tybed a oedd a wnelo'r bachgen hwn rywbeth â'r hyn oedd yn aflonyddu arnynt? Beidio mai ef oedd y bwgan a fyddai'n gwneud pethau mor ynfyd i'r dodrefn a'r llestri? Os felly, nid oedd ond un eglur-had ar y mater. Yr oedd y bachgen yma yn chwilio am rywbeth ym Mhlas Bryn Mynach. Y cwestiwn nesaf oedd, pa ffordd yr âi i mewn ac allan? Tybed a oedd yna ffordd o'r hen dŷ na wyddai'r teulu ddim amdani?

Gwyddai Nest yn iawn am fodolaeth celloedd cudd a llwybrau tanddaearol a dirgelion o'r fath gan eu bod yn bethau eithaf cyffredin mewn tai o faint, yn y dyddiau peryglus hynny. Ond teimlai yn sicr yn ei meddwl nad oedd celloedd felly yn bod ym Mhlas Bryn Mynach. Yn un peth, yr oedd wedi ei adeiladu ar dir glas heb na chreigiau na dim o'r fath islaw iddo i ffurfio celloedd nac unrhyw fath o guddfan danddaearol.

Tra gwibiai y pethau hyn trwy ei meddwl, yr oedd Hywel a'i fam wedi gadael yr ystafell, a Mabli'n eistedd ar y fainc yn ymyl y gwely yn ei gwylio. Caeodd Nest ei llygaid, gan gymryd arni gysgu, ond yr oedd ei meddwl yn prysur geisio cael esboniad ar y broblem ddyrys a'i hwynebai. Cofiai am Fellteyrn a Phlas Llan-wyn-hoedl lle y gwyddai fod yno gelloedd cudd a llwybrau yn agor ohonynt i'r môr. Tybed a oedd yna yr un peth ym Mhlas Bryn Mynach?

Na, nid oedd hynny yn bosibl. Pe bai cell gudd o dan Blas Bryn Mynach, a llwybr yn arwain ohoni i'r môr, mi fuasai'n rhaid i'r llwybr hwnnw fynd o dan dai a thiroedd. Yn wir, buasai'n rhaid iddo fynd o dan ddarn mawr o'r dref. Yr oedd yn amhosibl bod llwybr yn agor i'r môr o Blas Bryn Mynach. Yr oedd hyn y tu hwnt i ddychymyg. Sut felly y gallodd Hywel fynd i mewn ac allan heb agor na chlo na bar?

19

Tra pendronai gyda'r dryswch, daeth y wraig yn ôl i'r ystafell, ac edrychodd ar Nest.

'Mae'n cysgu, rwy'n gweld,' meddai gan droi at y forwyn. 'Mi wnaiff les iddi, ond gorau po gyntaf gen i iddi fynd oddi yma.'

Digiodd Nest drwyddi wrth glywed y geiriau. Nid felly y buasai hi yn teimlo tuag at rywun a fuasai wedi dod i Blas Bryn Mynach o dan yr un amgylchiadau. Wel, nid arhosai funud yn hwy yn y bwthyn yma. Cymerodd arni ddeffro yn sydyn, a chododd ar ei heistedd.

'Rydw i'n teimlo'n well o lawer iawn ar ôl gorffwys,' meddai, 'ac rydw i'n wir ddiolchgar i chi am yr hyn wnaethoch chi imi. Mae'n ddrwg gen i beri'r fath drafferth, ond rydw i'n meddwl mai mynd adre ar unwaith fyddai orau i mi. Mi fydd Mam yn pryderu yn fy nghylch.'

Aeth Mabli o'r ystafell, a daeth yn ôl â dillad Nest yn sych ar ei braich. Teimlai'r eneth yn benysgafn a sigledig pan geisiodd sefyll ar ei thraed, ac eisteddodd i lawr ar y fainc. Gwyddai yr âi'r teimlad heibio yn fuan, a chaeodd ei llygaid. Pan agorodd hwy, gwelai'r wraig urddasol yn edrych arni'n oeraidd.

'Beth mewn difrif oeddych chi'n ei geisio mewn lle anial, anghysbell fel hyn?' meddai. 'Fyddwn ni byth yn gweld neb yng nghyffiniau Carreg Llam ond ychydig o fechgyn mentrus o'r tyddynnod yn dod ar ôl wyau'r gwylanod ambell dro.'

Ni allai Nest yn ei byw feddwl beth a wnaethai i'w digio. Yr oedd yn sicr ei bod yn ei hamau o rywbeth. Ond beth?

'Dod i Garreg Llam ar neges dros Mam wnes i,' meddai'n dawel. 'Mi gafodd ddamwain i'w chefn dro'n ôl, a sigo ei gewynnau. Un o'r morynion ddywedodd wrthi am eli at y gewynnau sydd yn cael ei wneud gan wraig hysbys o'r enw Sibi, sydd yn byw yng nghyffiniau Carreg Llam, ac mi ddeuthum i nôl peth ohono. Ond mi af adre rŵan, ac mi gaf ddod i'w gyrchu rywdro eto.'

'O na,' meddai'r wraig yn frysiog. 'Mi gaiff Hywel fynd i nôl peth i chi, rhag i chi drafferthu dod yn ôl.'

Nid oedd yn ddrwg ganddi gael eistedd am ychydig yn hwy, gan nad oedd wedi dod ati ei hun yn iawn. Ond yn raddol daeth i deimlo'n well.

Cyn hir gallai weld Hywel trwy'r ffenestr, yn marchogaeth ar farch cryf i lawr allt serth o gyfeiriad y gwastatir brwynog a oedd rhwng y bwthyn a rhiwiau geirwon Nant Gwrtheyrn. Gwyddai ei fod wedi bod yn cyrchu olew iddi, ac aeth at y drws i'w gyfarfod.

'Mi awn ni yn ôl yn y cwch, os nad ydi o wahaniaeth gennych chi,' meddai Hywel. 'Mae fy ngheffyl wedi cloffi, braidd.'

Cydsyniodd Nest, ond gwyddai yn iawn nad dyna pam y dewisai'r bachgen y môr yn hytrach na'r tir i'w danfon adre'n ôl i Nefyn. Am ryw reswm neu'i gilydd, yr oedd yn well gan Hywel fod ynghudd, a'r môr oedd y ffordd orau i hynny.

Pennod 5

'Lle buost ti, 'ngeneth i?' meddai Llywelyn ap Maelgwyn wrth ei ferch ar ôl iddi gyrraedd adref o Garreg Llam. 'Mae dy fam mewn poen yn dy gylch di ers meitin, ac mae Gruffydd yn cyfrwyo'r ceffyl i fynd i chwilio amdanat ti.'

'Mi welais oen mewn trybini, 'Nhad, ac mi fûm mewn caeth gyfle wrth dreio ei achub,' atebodd Nest, gan wneud yn ysgafn o'r ddamwain a fu mor agos â bod yn angau iddi. Nid oedd yn bwriadu sôn am y bwthyn yng nghesail y graig, nac am Hywel, wrth neb.

'Rhaid i ti beidio â chrwydro'r ffordd yna dy hun eto,' meddai'r tad. 'Yn un peth, rhaid i ti gofio am y trybestod sydd o hyd yn y wlad, er bod y rhyfel ar ben. Yn wir iti, mae gennym ni fwy o elynion o'n cwmpas na hyd yn oed adeg y rhyfel.'

'Mi wn i hynny'n dda,' meddai Nest. 'Beth sydd yn cyfrif amdano, dwedwch?'

'Wel, yn un peth,' atebodd ei thad yn synfyfyriol, 'er bod y Seneddwyr yn deyrngarol iawn i Oliver Cromwell yn ystod yr heldrin, mae'n ddigon hawdd gweld nad oedd pawb yn cytuno â dienyddio'r Brenin. Yn wir i ti, ryfeddwn i ronyn i glywed bod rhai yn ffafrio achos y Tywysog Siarl, sydd â'i fryd ar ddod yn ôl o'i alltudiaeth i eistedd ar orsedd ei dad. Mae 'na fwy o gynllwynion yn mynd ymlaen o'n cwmpas nag yr ydym yn breuddwydio amdanynt yn y dyddiau pryderus yma. Ac mae cyflwr iechyd Cromwell mor fregus fel na all fod â'i lygaid craff ar y cynllwynwyr.'

'Beth sy'n bod arno, 'Nhad?' gofynnodd Nest, heb deimlo rhyw lawer o ddiddordeb yn y mater.

'Wn i ddim yn iawn,' atebodd ei thad, 'os nad ydi'r gowt a'r clefyd crynu arno. Mi fydd yn cael pyliau arswydus yn aml. Ran hynny, mae helbulon y wlad 'ma'n ei lethu yn lân ac mae marwolaeth ei hoff ferch, Elizabeth, wedi gadael ei ôl arno'n ddychrynllyd. Felly'n union y buasai hi arna innau, pe digwyddai rhywbeth i ti, Nest. Felly rydw i'n dy rybuddio di i beidio â chrwydro'r clogwyni 'na eto ar dy ben dy hun. Cofia di fod llu o gyfeillion Syr Arthur Vaughan hyd y fan yma o hyd, ac mae'n siŵr eu bod yn teimlo'n flin fod ein Harweinydd wedi rhoi Plas Bryn Mynach i mi. Ond dyna ddigon ar y pen yna. Dos â'r olew i dy fam i'w hystafell.'

Ufuddhaodd Nest, ond yr oedd cwestiynau dyrys y dydd a dirgelwch ysbryd Plas Bryn Mynach yn llosgi yn ei mynwes. Ni welodd ei thad ar ôl hynny hyd amser borebryd drannoeth, a phan oeddynt yn bwyta, dechreuodd dynnu sgwrs ag ef drachefn i weld a gâi rywfaint ychwaneg o oleuni ar y mater.

''Nhad,' meddai, 'erbyn meddwl am y peth, mae trawsfeddiannu tiroedd yn beth annheg iawn i'w wneud. Mewn gwirionedd, does gennym ni'r un gronyn o hawl ar Blas Bryn Mynach.'

'Beth sydd ar dy ben di, blentyn?' meddai ei thad gan edrych arni'n syn. 'Paid â siarad mor ynfyd! Mae popeth yn deg adeg rhyfel. Oeddet ti'n ei gyfri'n deg i wŷr y Tywysog Rupert losgi'r Llwyn-du, cartref dy gyndadau, pan oedd ar ei daith fell-tigedig o Gonwy i Gaer, gan dy adael di a'th fam heb do uwch eich pennau?'

'Wel, mae gwedd fel yna o edrych ar bethau, mae'n siŵr,' meddai Nest. 'Dyna pam y cawsom ni Blas Bryn Mynach, yntê?'

'O nage, Nest,' meddai ei mam, a oedd hyd yn hyn wedi gwrando'n dawel. 'Nid dyna'r rheswm o gwbl! Am aberth a gwrhydri ar faes y frwydr y cafodd dy dad y lle yma. Mi wyddost yn eithaf da fel yr anrhydeddodd dy dad ei hun yn y rhuthr ar

Fryste. Mi wyddost fel yr amgylchynodd byddin y Senedd y dref ac fel y cawsant eu hunain mewn perygl mawr trwy i'r gelyn eu hamgylchynu hwythau drachefn. Doedd dim i'w wneud ond rhuthro'r dref, ac mi glywaist, fel minnau, fel y bu i Huw Peters, y pregethwr penboeth, dewr, ddringo muriau'r dref o flaen pawb, gan chwifio'i Feibl yn ei law fel atgyfnerthiad i'r rhai oedd yn dilyn. Hynny am hanner nos, cofia!'

'Ie,' meddai Llywelyn, a'i lygaid yn tanio gan atgofion, 'wna i byth anghofio cwymp Bryste! Rydw i'n gweld yr hen Huw Peters o'm blaen y funud 'ma a'i Feibl yn ei law ar ben muriau'r dref, yn bloeddio'n herfeiddiol, a'i lais fel sŵn utgorn clir yn codi uwchlaw'r berw a'r dwndwr ofnadwy. "Cedwch gyda'ch gilydd! Rhuthrwch y pyrth! Y mae Duw Israel gyda ni heno! Amddiffynfa i ni yw Duw Jacob!" Yr oedd ein gwaed yn berwi o frwd-frydedd yn ein gwythiennau wrth ei glywed, ac nid oedd yr un ohonom nad oedd yn barod i aberthu ei fywyd er mwyn yr achos mawr.'

'Sut oeddech chi mor bryderus am fy mod i'n hir yng nghyffiniau Carreg Llam ddoe, 'Nhad, a minnau'n ferch i chi!' meddai Nest â'i llygaid yn disgleirio. 'Ddylai Nest, merch Llywelyn ap Mael-gwyn, ofni neb na dim!'

Chwarddodd ei thad, a thynnodd ei law dros ei phen modrwyog.

'Beth a'n harweiniodd ni i siarad am ryfel a gwleidyddiaeth, dywed?' meddai. 'Dowch, soniwch am rywbeth arall eich dwy.'

Nid yn aml y byddai Llywelyn yn siarad am y sefyllfa wladol yng nghlyw ei ferch oherwydd methai â sylweddoli fod yr eneth wedi tyfu. Geneth

24

fach oedd Nest i'w thad o hyd. Teimlai hithau nad oedd wedi clywed dim gan ei thad a roddai y mymryn lleiaf o oleuni ar yr hyn a geisiai wybod. Ond fel fflach, daeth rhywbeth i'w meddwl.

''Nhad,' meddai'n sydyn, 'oedd gan Syr Arthur Vaughan a fu'n byw yma o'r blaen blant?'

'Oedd,' atebodd yntau. 'Un mab.'

Disgynnodd llestr o law Nest, a gwyrodd i'w godi ac i guddio'r gwrid a gododd yn sydyn i'w hwyneb.

'Ble maen nhw ar hyn o bryd?' holodd eilwaith, ar ôl codi'r llestr.

Edrychodd ei thad arni'n amheus.

'Beth ar y ddaear sy'n peri i ti fod â chymaint o ddiddordeb yn y teulu?' meddai. 'Chlywais i erioed mohonot ti yn sôn amdanyn nhw o'r blaen. Oes 'na rywun wedi bod yn siarad amdanyn nhw wrthyt ti?'

'Nac oes, neb,' atebodd hithau, 'ond fy mod yn rhyw feddwl amdanyn nhw.'

'Wel, gad i mi ddweud cymaint â hyn wrthyt ti,' meddai'r tad, 'welais i'r un cip ar y dyn erioed nac ar neb yn perthyn iddo, felly dydi o ddiben yn y byd i ti holi yn ei gylch. Mi wn fod Syr Arthur yng ngharchar Caer, ac yno mae o'n haeddu bod. Dyna'r cwbl wn i amdano.'

'Mi wyddoch pam y'i carcharwyd o, mae'n siŵr,' meddai Nest, gan fynnu dal at ei thestun.

'Gwn, wrth gwrs,' meddai ei thad yn ddiamynedd. 'Am ei fod o'n perthyn i'r cwlwm cêl sydd â'u bryd ar roi Siarl ar yr orsedd. Roedd bradwr yn eu mysg, ac mi fradychodd hwnnw rai o'r enwau. Ond dyna'r gair olaf rydw i am ddweud wrthyt ti am y dyn. Fel roeddwn i'n dweud, dydw i ddim yn ei adnabod o, a dydi o ronyn o wahaniaeth gen i beth ddaw ohono.'

25

Bu Nest yn fud am ychydig.

'Oes 'na rywbeth yn eich meddiant yn y tŷ 'ma a fuasai o werth i'r Brenhinwyr? Rhyw bapurau neu rywbeth?' gofynnodd yn sydyn.

'Gwarchod fi! Beth sydd ar dy ben di, eneth?' llefodd y tad, gan edrych yn syn arni. 'Nac oes, neno'r annwyl, does gen i ddim papurau o werth i Frenhinwr yn y byd! Nid adeg rhyfel ydi hi rŵan, trwy drugaredd. Ond mae'n rhaid fod yr haul neu rywbeth wedi amharu arnat ti, i beri i ti ofyn pethau mor ynfyd. Papurau, wir!'

Cododd Llywelyn ac aeth allan o'r ystafell, ond yr oedd rhyw arlliw o olau yn torri trwy niwl y dirgelwch, ac nid oedd yn edifar gan Nest ei bod wedi dal ati i holi ei thad.

Y noson honno, aeth yr eneth drwy holl ystafell-oedd y tŷ, gan chwilio pob twll a chornel yn ofalus. Curodd yn erbyn pob panel derw oedd yn yr ystafell-oedd, i edrych a glywai sŵn gwag dan un ohonynt. Yr oedd wedi penderfynu fod rhyw fynedfa i mewn i Blas Bryn Mynach heblaw trwy'r drysau neu'r ffenestri, a gallai un o'r paneli derw hyn fod yn ddrws yn arwain i lwybr a âi allan i rywle o'r tŷ. Eto, dywedai rheswm wrthi nad oedd unlle iddo agor yn y pen arall. Ond yr oedd yn sicr bod rhyw esboniad yn rhywle ar ymweliad Hywel â Phlas Bryn Mynach.

Tra curai â'i migyrnau ym mhaneli'r ystafell fwyta, daeth ei mam i'r oriel a redai ar draws un pen i'r ystafell. Yma yr arferai'r bardd teulu a'r telynorion ddifyrru'r bwytawyr yn yr hen amser cyn y rhyfel. Edrychodd y fam yn syn pan welodd ei merch yn curo'r paneli, ac yn gwrando'n astud ar y sŵn. Dychrynodd drwyddi.

26

'Nest!' meddai mewn llais cyffrous, 'Nest, beth yn neno'r annwyl wyt ti'n ei wneud, blentyn? Oes 'na rywbeth wedi amharu ar dy synnwyr di, yn peri i ti wneud peth mor ffôl? Dos i dy wely'r munud 'ma! Mae'n siŵr fod y dwymyn arnat ti!'

Cymerodd Nest arni ufuddhau, ond aeth allan at y felin wynt a ledai ei hadenydd yng nghefn y tŷ. Llanwodd lestr â blawd haidd newydd ei falu ac aeth ag ef i'w hystafell. Cyn cysgu, cymerodd ddyrnaid o'r haidd a gollyngodd ef yn ysgafn rhwng ei bysedd nes yr oedd haenen denau o'r blawd yn gorchuddio'r llawr. Taenodd y blawd hefyd ar lawr rhai o'r prif ystafelloedd nad oedd neb yn cysgu ynddynt, ac yna aeth i'w gwely. Yr oedd wedi taro ar gynllun i ddatrys problem bwgan Plas Bryn Mynach.

Pennod 6

Fore trannoeth, a'r haul yn disgleirio trwy ffenestri ystafell y tŵr, gwelodd Nest nad oedd dim amgenach na llygoden fach wedi bod yn yr ystafell. Agorodd ddrysau'r ystafelloedd eraill a gwelodd yr haenen lychlyd heb ei llychwino yn y rhain hefyd. Aeth i geisio ysgub cyn i'r morynion ddod i roddi eu llaw drwy'r ystafelloedd a chanfod y blawd. Yna cychwynnodd am yr ystafell fwyta. Ond pan oedd ar y grisiau a arweiniai o'r oriel i'r ystafell, clywodd lais ei mam.

'Mi ddychrynais weld y druan fach yn curo'r muriau coed yna fel pe bai wedi drysu,' meddai.

27

'Mae'n siŵr fod y dwymyn wedi codi i'w phen ac y bydd yn rhaid cael yr eilliwr yma i ollwng dipyn o'i gwaed i ostwng y gwres.'

Yna daeth llais ei thad i'w chlustiau.

'Fyddai hi ddim yn well i ni gael Rhodri Ddu'r apothecari i roi gele wrth ei thalcen i sugno'r amhuredd?' meddai. 'Dydw i ddim yn credu mai'r dwymyn sydd arni. Rydw i bron yn sicr mai'r haul sydd wedi effeithio arni. Mi fu bron trwy'r dydd hyd y creigiau geirwon 'na tua Carreg Llam, a dydi hi ddim wedi tewi gofyn y cwestiynau rhyfeddaf byth er hynny. Wnaiff dipyn o'r gele i sugno'r gwaed ddim gronyn o ddrwg iddi, beth bynnag.'

Tawodd y sgwrs yn y fan pan welsant Nest yn dod i lawr y grisiau.

Gwenodd yr eneth, ac meddai wrthi ei hun, 'Mi fydd yn rhaid i mi fod yn bur ofalus o hyn ymlaen. Beth pe baent wedi gweld y llwch haidd hyd y lloriau! Mi fuasent yn sicrach byth fy mod allan o 'mhwyll. Mi fuasai'n wrthun o beth imi gael fy ngorfodi i roi'r gele ar fy arlais, a minnau cyn iached â'r gneuen.'

Daliodd ati i daenu blawd am rai nosweithiau cyn i ddim ddigwydd. Ond ar y nos Sul, a'r glaw yn disgyn yn drwm, cafwyd ymweliad arall gan y bwgan.

Yr oedd Nest wedi deffro yn y bore ac wedi edrych ar y llawr. Parodd yr hyn a welodd iddi neidio o'i gwely fel saeth. Yr oedd ôl traed yn cerdded ar draws ei hystafell o'r gornel lle safai y cwpwrdd derw i gyfeiriad y drws, ac yna'n dychwelyd!

'Dyma'r fynedfa,' meddai Nest wrthi ei hun, gan lygadu'r cwpwrdd. 'Ond yn enw pob rheswm, i ble mae'n arwain? Mae un peth yn sicr! Mi fynnaf gael gwybod!'

Gwisgodd amdani'n gyflym ac aeth i lawr y grisiau cerrig a arweiniai o ystafell y twr i un o'r prif ystafelloedd. Yma, yr oedd ôl traed i'w gweld yn blaen yn y llwch ar y llawr. Arweinient yn syth at wely enfawr ar ganol y llawr. Cyrhaeddai dau bost derw ei ben hyd y nenfwd, ond yr oedd dau bost y traed yn is o lawer iawn. Yr oedd y rhain wedi eu cerfio ar ffurf llewod yn eistedd ar eu dau droed ôl, a'u safnau yn llydain agored. Hongiai llenni sidan-aidd o'r to i'r llawr ym mhen y gwely, ond yr oedd yn ddigon amlwg mai wrth draed y gwely yr oedd yr ymwelydd wedi ymdroi. Yn y fan yma, wrth ymyl un o'r llewod cerfiedig, yr oedd yr haenen flawd ar y llawr derw gloyw wedi ei sathru a'i fathru'n llwyr.

Craffodd Nest ar y cerflun a gwelai yn amlwg ôl bysedd yn llychwino disgleirdeb y pren, yn enwedig yng nghyffiniau'r geg. Pwysodd yr eneth ei bysedd hithau yn yr un man yn union, ond nid oedd dim yn digwydd. Yna, dechreuodd bwyso ar y dannedd miniog oedd yng ngheg agored y llew, fesul un ac un, a phan roddodd ei bys ar ddant cil ym mhen draw'r geg, clywodd glec, a gwelodd y pen yn symud. Gafaelodd ynddo a gwelodd ei fod yn codi i fyny fel caead bocs gan ddatguddio gwacter oddi mewn. Gwthiodd Nest ei braich iddo, ond yr oedd yn hollol wag. Beth bynnag oedd y tu mewn i bost y gwely, yr oedd wedi mynd oddi yno y noson honno. Nid oedd reswm yn y byd am i'r ymwelydd ymdroi o gwmpas cuddfan wag!

Safodd Nest gan edrych yn synfyfyriol ar y cerf-lun, a rhyfeddu at grefft y gŵr a'i lluniodd. Gallai

29

hen grefftwyr Nefyn wneud gwaith cywrain gyda choeden ac ellyn. Wel, beth bynnag a guddiwyd ym mhost y gwely, yr oedd wedi ei ddarganfod.

Hywel oedd wedi bod yno, wrth gwrs. Nid oedd gan Nest, erbyn hyn, unrhyw amheuaeth ynghylch y peth. Ond i beth? Beth oedd wedi ei guddio ym mhost y gwely, a sut y bu Hywel mor hir cyn dod o hyd iddo? Pwy oedd Hywel?

Yr oedd yn amau yn gryf ei bod yn gwybod hynny, hefyd. Oedd, yr oedd pen y llinyn yn ei dwylo. Gwyddai mai Hywel oedd y bwgan. Yr oedd bron yn sicr ei bod yn gwybod i bwy yr oedd yn perthyn, a gwyddai ychydig, beth bynnag, am y fynedfa i'r tŷ. Ond yr oedd problemau eto heb eu datrys. Beth tybed oedd ynghudd yn y cerflun? Sut yr oedd y cwpwrdd derw yn fynedfa i Blas Bryn Mynach, ac i ble yr arweiniai?

Dyna oedd y cwestiynau a wibiai drwy ei meddwl tra safai â'i llygaid yn sefydlog ar y post gwag a'r pen agored.

Yn sydyn, daeth trem o syndod ac amheuaeth i'w llygaid, a phlygodd i lawr gan wthio ei braich i waelod y twll gwag. Oedd, yr oedd pethau yn union fel yr oedd wedi sylwi. Nid oedd gwaelod y twll ond hyd at hanner corff y llew, felly, yr oedd rhan isaf y corff yn dalp o bren. Neu yr oedd gwacter eto islaw i'r ffug waelod yma, a hwnnw yn cyrraedd i'r llawr.

Rhedodd ei bysedd yn ysgafn a gofalus ar hyd y gwaelod crwn, a chyffyrddodd ben hoelen fechan. Yr oedd bron yn wastad â'r pren, ac anodd fuasai i neb ei chanfod heb chwilio'n fanwl amdani. Pwysodd Nest ei bys ar yr hoelen, a symudodd y gwaelod gan hongian tuag i waered fel petai ar fach, gan ddatguddio twll islaw.

Gwthiodd Nest ei braich i mewn a chyffyrddodd ei llaw â rhywbeth conglog, caled. Tynnodd ef allan, a gwelodd mai blwch hirgul ydoedd, wedi ei rwymo a'i selio. Heb oedi, datododd y sêl ac agorodd y blwch. Gwelai bapur wedi ei blygu a'i selio y tu mewn, a heb betruso, agorodd hwn eto. Er na allai ddeall ei gynnwys yn iawn, casglodd fod a wnelo'r papur â'r cynllun a oedd ar dro i geisio dod â'r Tywysog Siarl yn ôl ar orsedd ei dad. Yr oedd wedi ei ysgrifennu yn Saesneg, ac yn dilyn yr ysgrifen, yr oedd rhestr o enwau.

'We proffess before Almightie God, as members of The Fifth Monarchie Men and as loyal subjects and loyal hearts to His Majestie, that we desire His Majestie the King's return to His Kingdom, and we vow on oath to assist in bringing His Majestie back: and in order thereunto we have kept a correspondence with His Majestie when designs have been on foote for that purpose. We vow and declare ourselves readie to assist and protect the King's Friends in Wales . . .'

Rhedodd llygaid Nest ymlaen i'w waelod, ac er na ddeallodd fawr iawn ar y llw, gwelodd y perygl ar unwaith i'r gwŷr a oedd â'u henwau ar y rhestr. Edrychodd ar enwau'r Brenhinwyr.

John Owen, Clenennau.
Sir Arthur Vaughan, Plas Bryn Mynach.
Sir John Grenville.
Lord Herbert.
William Wyn, Cefn y Wern.
Earl Rochester.
Lord Rhys.
Sir Oliver Wyn, Y Glyn.

Am funud, ni ddarllenodd Nest ymhellach. Teimlai ei chalon yn curo'n gyflym. Yr oedd wedi gweld digon i ddeall perygl y rhestr. Yr oedd tua hanner cant, fwy neu lai, o enwau arni, ond yr oedd chwech o'r enwau wedi eu nodi allan mewn ysgrifen wahanol i'r gweddill. Lled-dybiai'r eneth mai y chwech hyn oedd aelodau diwrthgil y cwlwm cêl y clywsai gymaint o sôn amdanynt, ond a oedd â'u henwau yn ddirgelwch i bawb. Gwyddai yn iawn pe buasai'r rhestr hon wedi syrthio i ddwylo ei thad na fyddai dim ond carchar neu ddienyddiad yn aros y gwŷr oedd â'u henwau arni. Doedd dim rhyfedd fod Hywel yn gwneud pob ymdrech a allai i ddarganfod y rhestr. Ond er ei fod wedi bod mor agos i'r guddfan, yr oedd wedi methu.

Hi, Nest, oedd wedi dod o hyd i'r hyn yr oedd Hywel yn chwilio mor ddyfal amdano, a'r cwestiwn mawr oedd, beth a wnâi ag ef. Yr oedd dau lwybr o'i blaen. Ei roi i'w thad, a bradychu Hywel a'r gwŷr oedd â'u henwau ar y rhestr, neu ei roi i Hywel, a thrwy hynny gadw cyfrinach bwysig oddi wrth ei thad a'r blaid y perthynai iddi.

Ailedrychodd ar yr enwau, gan ddewis enwau'r Cymry a oedd yn eu plith:

John Prys, Castellmarch.
Sir Edward Wyn, Plas Gwydir.
Sir William Llywelyn, Parc Glas.
John Cadwaladr, Y Gromlech.

Cyn iddi allu darllen gair ymhellach, clywodd sŵn traed yn dod i gyfeiriad yr ystafell, a gwelodd glicied y drws yn cael ei chodi.

Mewn eiliad, yr oedd wedi cau pen agored y llew ac wedi gwthio'r blwch hirgul i fynwes ei gwisg. Y funud nesaf, agorwyd y drws, a daeth ei thad i'r ystafell.

'Chwilio amdanat ti 'r oeddwn i,' meddai. Yna syrthiodd ei lygaid ar y llawr llychlyd. 'Neno'r annwyl, beth sydd ar y llawr yma?' ychwanegodd yn chwyrn. 'Ai fel hyn y mae'r morynion yn cadw trefn ar yr ystafelloedd? Rhaid i ti fod fwy o'u cwmpas, Nest. Dyw iechyd dy fam ddim yn can-iatáu iddi gadw golwg ar bethau fel o'r blaen, felly rhaid i ti gymryd ei lle. Mae'r llawr yma'n warth! Mae fel petai o heb ei 'sgubo ers mis!'

Gwridodd Nest, ac yr oedd ar flaen ei thafod arbed cam y morynion a chyfaddef mai hi oedd yn gyfrifol am y llwch blawd. Ond meddyliodd yn sydyn mai doethach oedd peidio. Cofiodd am y sgwrs a fu rhwng ei thad a'i mam ynglŷn â'i gor-ffwylltra ar ôl iddi fod yn curo'r paneli derw, a'u bwriad o alw'r apothecari i mewn i'w gweld. Beth mewn difrif a feddyliai ei thad ohoni pe cyfaddefai wrtho ei bod wedi taenu blawd haidd hyd y llawr? Ni allai egluro iddo pam y gwnaethai'r fath beth, ac felly casgliad naturiol y tad fyddai fod ei unig ferch wedi drysu yn ei synhwyrau. Na, dan yr amgylchiadau, yr oedd yn rhaid gadael i'r moryn-ion gymryd y bai. Gwyddai Nest y buasent oll yn gwneud hynny yn llawen er ei mwyn.

'Oedd arnoch chi fy eisiau, 'Nhad?' gofynnodd er mwyn troi'r stori.

'Dim ond eisiau dweud wrthyt am y newydd drwg a glywais,' meddai'r tad. 'Mi ddaeth marchog heibio ychydig funudau yn ôl ar ei ffordd trwy Nefyn i Gefnamwlch, ac mi ddaeth â'r newydd trist am farwolaeth ein Harweinydd. Ydi, mae Oliver Cromwell wedi marw, a Duw a'n helpo!'

''Nhad! Pwy ddaw i gymryd ei le?' gofynnodd Nest mewn cyffro.

'Ei fab, Richard,' meddai yntau. 'Ond dydi o ddim hanner cystal dyn â'i dad i gymryd yr awenau yn ei law ac i arwain y Wladwriaeth. Dyn tawel, di-stŵr, ydi Richard Cromwell, a dydi o ddim yn rhyfelwr a gwladweinydd craff fel ei dad. Ydi, mae'r Wladwriaeth wedi cael colled fawr iawn ym marwolaeth Oliver Cromwell. A dyna i ti beth rhyfedd. Mi fu farw yr un dyddiad yn union â dwy o frwydrau mawr ei fywyd. Mi ymladdwyd brwydr Dunbar ar y trydydd o Fedi, wyth mlynedd yn ôl, a Worcester ar y trydydd o Fedi saith mlynedd yn ôl. A dyma hi heddiw, y trydydd dydd o Fedi eto!'

Aeth y tad i lawr y grisiau, ac ar ôl 'sgubo'r blawd rhag i neb arall sylwi arno, prysurodd Nest i'w hystafell ei hun. Yr oedd am wybod sut yr oedd Hywel wedi llwyddo i ddod i mewn i Blas Bryn Mynach.

Gwyddai, wrth yr ôl traed, mai'r cwpwrdd mawr oedd y fynedfa, er yr ymddangosai hynny'n amhosibl. Ond cofiodd am y pen llew a ffurfiai bost y gwely a'r hoelen gudd a oedd yn glicied i'r ffug waelod y tu mewn iddo. Na, nid oedd dim yn amhosibl. Yr oedd rhyw esboniad i bopeth.

Y peth cyntaf a wnaeth oedd tynnu pob dilledyn a feddai allan o'r cwpwrdd mawr, nes yr oedd yn hollol wag. Yna, aeth i mewn iddo, ac ar ôl chwilio'n fanwl canfu ddwrn pren bychan, bron o'r golwg yng nghornel ucha'r cwpwrdd. Rhoddodd dro arno, ac er ei syndod, gwelodd gefn y cwpwrdd yn agor fel drws heb yr un smic lleiaf o sŵn, gan ddatguddio grisiau i lawr drwy'r mur. Heb betruso eiliad, aeth i lawr y grisiau gan gau'r drws ar ei hôl.

Yr oedd y grisiau yn disgyn i lawr i dywyllwch dudew, ac yr oedd yn rhaid teimlo ei ffordd bob cam fel pe bai yn ddall.

Ymddangosai'r grisiau yn ddiderfyn iddi, ond yn fuan daeth i lwybr tywyll, di-awyr. Gofidiai na ddaethai â'r blwch tân i'w chanlyn, ond yr oedd yn rhaid dal i fynd ymlaen, bellach. Ar ôl ymgripian am amser maith, yn ôl ei thyb hi, daeth at risiau eto, yn arwain i fyny, ac yr oedd yn rhaid dringo yn awr. Ar ôl dringo am beth amser, yn sydyn trawodd ei phen yn erbyn mur, ac ni allai syflyd gam ymhellach. Sylweddolodd fod to uwch ei phen, ac nad oedd dim i'w wneud ond troi'n ôl. Ond na, ni wnâi hynny. Yr oedd yn rhaid bod ffordd allan yn rhywle.

Ceisiodd godi'r to â'i dwylo, ac er ei fod braidd yn drwm, llwyddodd i'w symud. Deallodd mai darn o faen ydoedd, a llithrodd o'i le gan adael agen ddigon mawr iddi ymwthio drwyddi. Er ei syndod, gwelodd ei hun yn sefyll y tu mewn i eglwys Nefyn, yr hen eglwys a safai yng nghwr coed Bryn Mynach. Disgleiriai'r haul trwy wydr y ffenestr fawr liwiedig a wynebai'r dwyrain, gan wneud carped o liw copr a phorffor a glas ar yr allor a'r llawr. Ni allai Nest weld yn glir iawn ar y cychwyn gan fod goleuni'r eglwys yn ei dallu ar ôl tywyll-wch y llwybr. Yna trodd, yn llawn cywreinrwydd, i weld pa ffordd yr oedd wedi dod i fyny. Gwyddai mai trwy'r llawr yr oedd wedi dod, a gwyrodd i gau'r caead yn ôl.

Aeth ias o gryndod drwyddi pan edrychodd arno. Carreg fedd ydoedd!

Pennod 7

Edrychodd Nest yn fanwl ar y gistfaen, a darllenodd yr ysgrifen oedd arni.

In memorie

of

GETHIN VAUGHAN

Who was slaine on the field of Bosworth

In the yeare 1485.

AETATIS SUAE 39.

Beati sunt qui in Domino moriuntur.

'O, diolch mai carreg goffa ydi hi, ac nad ydi Gethin Vaughan ei hun yn gorwedd dani, a finnau newydd ddod trwodd!' meddai Nest wrthi ei hun, gydag ochenaid o ddiolchgarwch.

Cerddodd i gyfeiriad y drws. Ond yr oedd clo arno, a chofiodd y byddai'r ceidwad yn cloi'r eglwys bob bore Llun, ac na fyddai yn cael ei hagor wedi hynny ond am ryw awr yn ystod y gwasanaeth wythnosol.

Cyn y Rhyfel Cartref, ni fyddai'r drws byth dan glo. Ond ar ôl clywed fel y byddai rhai milwyr rhyfygus yn defnyddio'r eglwysi fel stablau i'w ceffylau, byddai Rhys Prisiart, ceidwad eglwys Nefyn, yn ei chloi'n ofalus ar ôl pob gwasanaeth. Meddyliai yn ei ddiniweidrwydd y byddai clo yn ddigon i rwystro'r fath anfadwaith, pe digwyddai i filwyr geisio gwneud yr un peth wedyn. Nos Sul oedd yr unig noson y byddai drws yr eglwys heb ei gloi a'r rheswm am hynny oedd y byddai Rhys a'i wraig yn mynd yno'r peth cyntaf bob bore Llun i lanhau'r adeilad. Felly, ni fyddai diben ymbalfalu â'r allweddau trymion ar nos Sul. Yr oedd yn awr yn tynnu at hanner dydd fore Llun, a'r eglwys yn lân a di-lwch wedi i Grasi Prisiart fod yno yn rhwbio a sgwrio.

Trodd Nest yn ôl, gyda'r bwriad o ddychwelyd trwy'r garreg fedd. Ond cyn cyrraedd mainc y clochydd, clywodd sŵn yr allwedd yn cael ei gwthio i'r clo. Yr oedd yn amlwg fod Grasi neu Rhys Prisiart wedi gadael rhyw gadach neu ysgub ar ôl ac yn dod yno i'w geisio.

Am funud, teimlai Nest yn falch fod rhywun wedi dod i agor y drws ac na fyddai'n rhaid iddi fynd yn ôl trwy'r garreg fedd a'r hen lwybr tywyll. Ond wedi ystyried ennyd, gwelodd mai dyna fyddai raid iddi ei wneud. Beth mewn difrif a feddyliai Rhys wrth ei gweld yn sefyll ar lawr yr eglwys a'r drws wedi ei gloi! Ni fyddai diben iddi ddweud iddi gael ei chloi i mewn wedi'r gwasanaeth nos Sul, gan fod Rhys a'i wraig wedi bod ym mhob twll a chornel yn glanhau y bore hwnnw. Na, yr oedd yn rhaid ymguddio hyd nes yr aent oddi yno, ac yna dychwelyd trwy gistfaen goffa Gethin Vaughan.

Yr oedd drws y clochdy yn llydan agored yn ei hymyl. Llithrodd i mewn a dringodd i fyny'r grisiau troellog, heibio i'r rhaff gref a gyrhaeddai o'r gloch bron i'r llawr. Yr oedd yn amlwg nad oedd neb, hyd yn oed unwaith mewn blwyddyn, yn esgyn grisiau'r clochdy. Yr oeddynt wedi eu gorchuddio â haenen dew o fwsogl, ac ymwthiai'r eiddew a dyfai'n drwchus oddi allan i'r tŵr, i mewn trwy'r agennau gan ymgripian ac ymglymu am y muriau a'r grisiau. Fel yr esgynnai, clywai Nest sŵn traed trymion yr hen Rhys yn atsain ar lawr cerrig yr eglwys oddi tani.

Tŵr sgwâr, wedi ei amgylchu â nifer o fân dyrau a phennau bwaog i bob un ohonynt, oedd tŵr clochdy eglwys Nefyn. Yr oedd grisiau yn ymdroelli drwyddo o'r tu mewn, nes cyrraedd twll hirgul yn y mur lle hongiai'r gloch. Ychydig yn uwch na'r gloch, yr oedd pen sgwâr y tŵr, dan ei orchudd o chwyn ac eiddew. Ymgymysgai blodau'r gwynt, ysgall a suran y coed gyda'r gwellt a'r mwsogl, gan roddi lloches i'r ystlumod a'r tylluanod.

Cyrhaeddodd Nest ben y tŵr ac edrychodd o'i chwmpas. Nid oedd erioed wedi bod yno o'r blaen ac ni allai beidio â rhyfeddu at yr olygfa. Gwelai Blas Bryn Mynach yn codi'n osgeiddig trwy frigau'r coed gyferbyn â hi, a llygedynnau o haul yn disgleirio ar ffenestr ei hystafell ei hun yn union o'i blaen. Oddi tani, rhyngddi a'r llwyn coed, rhedai afon Bryn Mynach ar ei thaith i'r môr. Yr oedd y dŵr mor loyw a chlir nes y gwelai Nest y cerrig mân yn un carped glân ar wely'r afon a'r brithyll yn neidio'n uchel o'r dŵr yn awr ac yn y man. Edrychodd draw i gyfeiriad Carreg Llam a throsodd am yr Eifl. Ymwthiai Carreg Llam ei hysgwydd allan i'r môr, ac wrth edrych ar ei hwyneb ysgythrog yn codi'n syth o drybestod y weilgi, cofiodd Nest yn sydyn am y blwch hirgul a guddiai yn ei mynwes.

Beth fyddai orau i'w wneud gydag ef oedd y cwestiwn. Tynnodd ef allan ac edrychodd arno. Blwch pren, gloyw ydoedd, a choron wedi ei cherfio'n gywrain ar y caead. Ond ei gynnwys oedd yn bwysig, a'r peth cyntaf a ddaeth i feddwl Nest oedd ei roddi yn ôl i Hywel, a pheidio â sôn yr un gair amdano wrth ei thad. Gwyddai y buasai ei thad yn rhwym o'i anfon yn ddiymdroi at arweinwyr y

Wladwriaeth, ac felly collfarnu bywydau y rhai oedd â'u henwau arno. Yr oedd yn berffaith sicr o un peth. Ni buasai byth yn byw yn hapus ar y ddaear pe byddai yn gyfrifol am fywydau'r gwŷr oedd â'u henwau ar y rhestr. Na, yr oedd yn rhaid cuddio'r blwch pren hyd nes y câi gyfle i'w roi'n ôl i Hywel. Ond ym mhle? Ni allai feddwl am unrhyw guddfan ddigon sâff ym Mhlas Bryn Mynach. Meddyliodd am ei gadw yn y man y cafodd hyd iddo, ond cofiodd am y drem o amheuaeth a welsai yn llygaid ei thad pan edrychai ar y llwch math-redig o gylch post y gwely. Tybed a oedd ei thad yn amau mwy nag a ddangosai?

Yn sydyn, daeth i'w meddwl y gallai guddio'r blwch pwysig yn y clochdy. Ni fyddai neb byth yn mynd yn agos iddo ond yr adar, a gallai hithau ddod i'w nôl pryd y mynnai trwy'r llwybr tywyll a chistfaen Gethin Vaughan. Credai mai dyna'r cynllun gorau o lawer.

Edrychodd o'i hamgylch a gwelodd garreg rydd yn y mur y tu ôl i doreth o eiddew. Tynnodd hi o'i lle, a gwthiodd y blwch i'r twll. Yr oedd yn ddiogel yno, a cherrig sych o'i gwmpas. Rhoddodd y garreg yn ôl yn ofalus, a gwasgodd eiddew drosti. Yr oedd y rhestr yn sâff!

Clywodd sŵn Rhys yn cloi drws yr eglwys, a gwyddai y gallai fynd yn ôl yn awr i Blas Bryn Mynach. Buasai'n dda ganddi allu osgoi'r garreg fedd a'r llwybr tanddaearol, ond yr oedd hynny yn amhosibl. Nid oedd un ffenestr yn eglwys Nefyn a wnâi agor. Yr oeddynt o wydrau lliw â meini cedyrn rhyngddynt. Teimlai Nest rhyw ias ryfedd yn rhedeg drwyddi wrth godi'r garreg fedd, ac arswydai wrth feddwl rhoddi'r cam cyntaf i'r tywyllwch islaw. Ond mynd oedd raid.

Wrth dynnu'r caead o lechen i lawr dros ei phen a'i chlywed yn disgyn yn drwm i'w lle, teimlai fel petai'n ei chau ei hun mewn bedd. Brysiodd i lawr y grisiau tywyll, ar hyd y llwybr llaith ac yna i fyny'r grisiau drachefn nes cyrraedd ei hystafell ei hun.

Yr oedd yn amser cinio cyn iddi weld ei mam, ac yr oedd ganddi newydd i Nest.

'Rydw i'n bwriadu mynd oddi cartref am ychydig i aros i Gastell Biwmares, i edrych a wnaiff o dipyn o les i mi,' meddai. Yr oedd ganddi chwaer yn wraig i Gwnstabl y Castell. 'Mi gei dithau a dy dad ddod yno i fy nôl ymhen rhyw bythefnos,' aeth yn ei blaen. 'Mi wnewch y tro eich dau yn iawn tra bydda i oddi cartref, rwy'n gwybod.'

'Gwnawn siŵr, Mam,' sicrhaodd Nest hi. 'Mi fyddwn ni'n iawn. Peidiwch â phoeni dim amdanom ni.'

'Ond mi fuasai'n dda gen i pe bai gen i beth o'r olew hwnnw i fynd i'm canlyn. Olew yr hen Sibi, wyddost. Mae'r blwch ar ddarfod, ac mae o wedi gwneud lles mawr i mi.'

Meddyliodd Nest yn y fan y rhoddai hyn gyfle iddi gael esgus i fynd i ben Clogwyn Carreg Llam ac i lawr yr hafnau grugog at y bwthyn yn yr argel i roi'r blwch gloyw yn ôl i Hywel a rhoi terfyn am byth ar fwgan Bryn Mynach. Yr oedd wedi penderfynu mai dyna a wnâi, a gorau po gyntaf i Hywel ei gael. Yn sicr, mi fyddai yn falch o'i dderbyn.

Yr oedd wedi ymgolli cymaint yn ei meddyliau fel nad oedd wedi clywed cwestiwn ei mam.

'Nest,' meddai, 'mae dy feddwl di yn sicr o fod yn crwydro! Rydw i wedi gofyn i ti ddwywaith ym mhle ar gomin Carreg Llam y mae bwthyn y wraig hysbys. Ai y tu yma i'r clogwyn y mae o, ynteu yn ochr Nant Gwrtheyrn?'

'Yr ochr bella' o Nefyn, Mam,' meddai hithau. 'Mi af yno i nôl peth i chi pnawn 'ma.'

'Wel nac ei, myn Mair!' meddai ei thad, a oedd wedi bod yn ddistaw hyd yn hyn. 'Mi fuost yn rhy hir o lawer yn crwydro o gwmpas y tro o'r blaen,' ychwanegodd yn bendant. 'Mae yno siglennydd twyllodrus yn y corsydd o gwmpas. Na, mi gaiff un o'r gweision fynd, ond i ti ei gyfarwyddo ym mhle y mae'r bwthyn.'

Crefodd Nest am gael mynd, ond nid oedd modd darbwyllo Llywelyn ap Maelgwyn. Felly, dan yr amgylchiadau, nid oedd dim i'w wneud ond aros a gwylio am ymweliad Hywel, rhoi'r blwch pwysig iddo a'i rybuddio i beidio ymweld â Phlas Bryn Mynach byth mwy. Gofidiai fod yn rhaid iddi gadw cyfrinach oddi wrth ei thad, a bu'n meddwl ac yn pwyso beth fyddai orau i'w wneud. Ond ni fedrai ei chydwybod ganiatáu iddi ddwyn dedfryd marwolaeth ar ddynion na wnaethent ddim byd iddi hi yn bersonol.

Weithiau, meddyliai mai ei dyletswydd oedd datguddio'r cyfan i'w thad a rhoi terfyn am byth ar y cynllwynwyr anniddig hyn. Ond y funud nesaf, gwaeddai ei chalon, 'O, na, na! Fedrwn i byth faddau i mi fy hun pe collai un o'r gwŷr hyn ei fywyd o'm hachos i!'

Felly, yr oedd yn rhaid diogelu'r rhestr trwy ei rhoi yn ôl i Hywel. Gwyddai na fyddai'n rhaid iddi aros yn hir cyn iddo ymweld drachefn â Phlas Bryn

Mynach. Ar nos Sul yn unig y deuai, ac fel rheol, ar noson loergan. Yr oedd yn sicr na roddai'r bachgen y gorau i ymweld â'r tŷ hyd nes y deuai o hyd i'r blwch.

Ar y nos Sul ddilynol, aeth Nest i'w hystafell yn gynharach nag arfer. Wedi rhoi clo ar y drws, cymerodd ddarn mawr o bren a rhoddodd ef i orffwys ar draws y cwpwrdd yn y fath fodd fel y byddai'n syrthio wrth i'r drws agor. Diffoddodd y gannwyll a oedd yn y llusern gorn wrth ei hymyl, a gosododd y blwch tân wrth law. Yna, eisteddodd wrth y ffenestr gan edrych dros frigau'r coed i gyfeiriad clochdy'r eglwys.

Yr oedd ei mam wedi mynd i Fiwmares ers deuddydd, a theimlai Nest yn unig hebddi. Gwyliai'r lleuad yn codi ei phen yn raddol dros gopa'r Garn ac yn dringo'n uwch, uwch o hyd. Heb yn wybod iddi ei hun, syrthiodd i gwsg.

Ni wyddai pa mor hir y bu'n cysgu, ond yn sydyn, deffrowyd hi gan drwst mawr yn yr ystafell. Yr oedd y darn pren trwm wedi disgyn ar y llawr derw! Neidiodd Nest ar ei thraed a goleuodd y gannwyll.

Yn y golau, gwelodd Hywel yn sefyll fel delw o'i blaen, a'i wyneb yn wyn fel y galchen.

Pennod 8

Am ennyd, safodd y ddau yn syn, gan edrych ar ei gilydd. Sylweddolodd Hywel yn syth ei fod yn edrych ar wyneb y ferch a achubwyd ganddo o'r môr ger Carreg Llam. Nest oedd y gyntaf i dorri'r distawrwydd.

'Wel, dyma fi wedi dod wyneb yn wyneb â bwgan Plas Bryn Mynach o'r diwedd,' meddai'n hamddenol. 'Pa hawl sydd gennych chi i dorri i mewn i dŷ ganol nos, fel lleidr, ac i feiddio dod i'm hystafell?'

'Dim o gwbl,' meddai Hywel yn dawel. Yr oedd wedi dod ato'i hun ychydig erbyn hyn ac yr oedd y braw a'r cyffro a'i meddiannodd ar y cychwyn yn troi'n bryder ac anobaith. 'Mi welaf fod yr amser wedi dod i mi daflu fy hun ar eich trugaredd a rhoi eglurhad am rai pethau y mae arna i gywilydd ohonyn nhw erbyn hyn. Ie, fi ydi bwgan Plas Bryn Mynach. Ond roedd gen i reswm dros wneud yr hyn wnes i.'

'Oedd, mae'n debyg,' meddai Nest. 'Mae'n amlwg eich bod yn chwilio am rywbeth sydd wedi ei guddio yn y tŷ 'ma. Ond gadewch i mi ofyn un cwestiwn. Pam oeddech chi'n gwneud pethau mor ynfyd wrth chwilio? Doedd dim rhaid symud llestri na throi darluniau a'r tapestri â'u hwynebau tua'r mur! Ac un noson, yr oedd y costreli yn y gegin wedi eu llenwi â dŵr! Pam yr oedd angen gwneud pethau mor ddisynnwyr?'

'Am hynny yr ydw i'n cywilyddio,' atebodd Hywel. 'Cyn y medra i egluro rhaid i mi ddweud pwy ydw i. Fi ydi Hywel, mab Syr Arthur Vaughan, cyn-berchennog y tŷ 'ma. Ar y cychwyn, roeddwn i'n teimlo'r fath atgasedd tuag at eich teulu fel y meddyliais, yn fy ffolineb, y gallwn eich dychryn i fynd oddi yma i fyw. Mi wn am deuluoedd sydd wedi gadael eu haelwydydd am byth am fod ysbrydion anniddig yn aflonyddu arnyn nhw. Mi feddyliais pe buasech chi yn gadael y lle 'ma, hyd yn oed am gyfnod, y gallwn gael cyfle i chwilota. Ond mi welais fy nghamgymeriad yn fuan. Felly,

43

doedd dim i'w wneud ond cymryd fy siawns a chwilio pob cyfle gawn i.'

'Ac ar nos Sul y byddai'r cyfle yn dod, mae'n debyg,' meddai Nest. 'A pham nos Sul, mwy na rhyw noson arall? Mi allaf ddeall pam y byddech yn dewis noson olau leuad, ond pam nos Sul?'

Gwenodd Hywel am y tro cyntaf, er bod ei lygaid tywyll yn llawn dwyster ac ing.

'Am mai ar nos Sul y gallwn gael mynediad i'r eglwys,' meddai. 'Mi fydd yr eglwys ar glo bob nos o'r wythnos ond ar nos Sul a rhyw awr bob nos Iau. Doedd dim diben ceisio dod yma ar nos Iau gan na fedrwn fynd allan drachefn. Ond ar nos Sul, mi fedrwn lithro i mewn yn ystod y gwasanaeth a chuddio yn y clochdy. Wedyn, wedi i bawb fynd adre, mi fyddwn yn cychwyn ar waith y nos, yma yn fy hen gartref. Ac mi fedrwn fynd yn ôl cyn y bore gan fod yr eglwys heb ei chloi bob nos Sul. Credwch fi, roedd gen i reswm da dros ddod yma fel hyn i chwilota, a'r braw mwyaf a gefais oedd eich bod chi wedi dewis y stafell hon yn stafell i chi eich hun. Fuaswn i byth yn meiddio rhoi fy nhroed yn eich stafell pe medrwn i gael dod i mewn trwy unrhyw ffordd arall. Ond y syndod ydi eich bod wedi darganfod fod cefn y cwpwrdd yn agor i mewn i'r mur.'

Adroddodd Nest hanes noson y storm wrtho a sôn ei bod wedi ei weld yng ngolau'r fellten; dywedodd wrtho hefyd am gynllun y blawd haidd.

Edrychodd Hywel arni mewn syndod ac edmygedd. Yr oedd y ddau wedi llwyr anghofio mai gelynion oeddynt, a bod un ohonynt wedi meddiannu treftadaeth y llall.

'Wel,' meddai Hywel gydag ochenaid, 'mae ar ben rŵan. Ddof fi byth yma i'ch blino eto. Rydw i wedi methu. Mae'n siŵr mai camddeall neges fy nhad wnes i, neu mae rhywun wedi dod o hyd i'r hyn a geisiwn, ac os felly, wel, Duw a'm helpo!'

Daeth cryndod i'w lais a threm o anobaith i'w lygaid. Petrusodd am ychydig.

'Waeth i mi ddweud y cwbl wrthych, am wn i,' meddai toc. 'Wnaiff o fawr o niwed bellach, ond hwyrach y bydd yn rhyw fath o reswm am aflonyddu arnoch chi a'ch teulu, a meiddio torri i mewn i'ch cartref fel hyn.'

'Peidiwch â dweud dim y bydd yn edifar gennych,' meddai Nest, 'ond mi allaf eich sicrhau y cadwaf eich cyfrinach. Mi wn yn iawn fod gennych reswm digonol dros wneud yr hyn a wnaethoch ac mae'n debyg pe bawn i yn eich lle mai yr un peth yn union wnawn innau hefyd.'

'Diolch i chi am ddweud hynna,' meddai Hywel. 'Mewn gwirionedd, does 'na fawr i'w ddweud, ond yr hyn a wyddoch chi'n barod. Hwyrach eich bod yn gwybod bod fy nhad yn garcharor yng Nghaer. Fe'i cymerwyd i'r ddalfa yn annisgwyl pan oeddym yn bwyta ac yn gwrando ar y telynorion yn canu yn yr oriel. Mi ddaeth y gelyn heb yn wybod inni. Roeddym yn meddwl fod popeth yn berffaith dawel a'n bod ninnau'n sâff.'

'Ond pam eich tad mwy na rhyw Frenhinwr arall?' holodd Nest, gan wrando'n astud ar ei eiriau.

'Am fod 'Nhad, ar ôl dienyddio'r Brenin Siarl mor greulon, wedi gwrthod bod yn dawel o dan iau Cromwell,' atebodd Hywel. 'Ar ôl i ni golli'r dydd yn y Rhyfel Cartref mi ddaeth 'Nhad yma'n ôl i Blas Bryn Mynach, yn ddigalon, ond nid yn anobeithiol. Yn lle ildio, fel y gwnaeth y mwyafrif o'r Brenhinwyr tebyg inni, mi roddodd fy nhad ei fryd ar y symudiad dirgel a fodolai ymysg rhai Brenhinwyr blaenllaw o Gymru a Lloegr. Y bwriad oedd i roi'r Tywysog Siarl, neu yn hytrach y Brenin Siarl, gan ei fod wedi ei goroni eisoes yn Frenin yr Alban, yn ôl ar yr orsedd yn lle ei dad, er gwaethaf brwydr Worcester. I dorri'r stori'n fyr, yr oedd fy nhad yn perthyn i'r cyfrin gyngor yma, ond, gwaetha'r modd, yr oedd bradwr yn eu plith, gŵr o'r enw Syr Richard Willis. Wel i chi, y noson y cymerwyd fy nhad i'r ddalfa, fel y dywedais, yr oeddym yn gwrando ar y canu, ac yna yn sydyn, mi glywsom drwst dychrynllyd y tu allan i'r drws, a dyma nifer o wŷr arfog yn rhuthro i mewn gan gymryd fy nhad yn garcharor yn enw'r Werinwladwriaeth. Yr oedd Syr Richard Willis wedi bradychu rhai o wŷr y cwlwm cêl, fel y'u gelwid, ac yr oedd fy nhad yn eu plith.'

'Ble'r oedd eich mam, Hywel?' meddai Nest, a'i meddwl yn rhedeg at y wraig urddasol a welsai yn y bwthyn bach yng nghesail Carreg Llam.

'Yr oedd yno yn clywed. Ond drwy drugaredd, mi syrthiodd i lewyg cyn gweld y cwbl. Pan oedd yn cael ei lusgo ymaith, mi edrychodd 'Nhad ym myw fy llygaid a dweud: "Hywel! Edrych ar ôl dy fam, a chwilia am ddant y llew er mwyn eu difa. Cofia, 'machgen i!"'

Mi chwarddodd y milwyr yn wawdlyd am ei ben yn dweud peth mor ynfyd ar y fath adeg. Ond mi wyddwn i yn iawn fod ystyr arall i eiriau 'Nhad, a'i fod yn fy siarsio i'w ddarganfod. Mi aethant â fo i ffwrdd, ond mi fu tua dwsin o filwyr yn chwilio'r tŷ o'r pen i'r gwaelod am unrhyw beth a fuasai'n profi'r cyhuddiad yn ei erbyn. Pe bydden nhw wedi dod o hyd i rywbeth, mi fyddai 'Nhad yn cael ei ddienyddio yn y fan, neu ei anfon yn gaethwas i

46

India'r Gorllewin, fel yr anfonwyd amryw uchelwr arall, Duw a'u helpo!'

'Ac mae'n debyg mai'r papur pwysig yn cynnwys y prawf oedd gan eich tad dan sylw pan ddywedodd wrthych,' meddai Nest yn synfyfyriol.

'Dyna feddyliais i yn y fan,' atebodd Hywel. 'Gorchymyn 'Nhad oedd imi ddifa'r papurau, lle bynnag maen nhw. Mi chwiliodd y milwyr bob twll a chornel, ond i ddim pwrpas. Felly carchar yn unig, fel un o dan amheuaeth, gafodd 'Nhad. Ac mi fu'n rhaid i Mam a minnau ffoi am ein bywydau oddi yma.'

'Do. Ac mi roddwyd eich cartref a'ch eiddo i ni,' meddai Nest, braidd yn chwerw. 'Mae gennych chi bob rheswm i'm casáu i a fy nheulu. Pe buasech chi'n gwybod mai merch Llywelyn ap Maelgwyn oeddwn i, mae'n debyg na fuasech wedi achub fy mywyd pan syrthiais i'r môr.'

'Diolch i'r nefoedd fy mod wedi medru gwneud,' meddai Hywel yn eiddgar. 'Nest, gadewch i ni fod yn ffrindiau, yn lle bod yn elynion.'

Heb betruso eiliad, estynnodd Nest ei llaw allan. Penliniodd Hywel o'i blaen, yn ôl arfer gŵr llys, a chusanodd ei llaw.

Bu distawrwydd am ychydig cyn i Hywel ei dorri.

'Ddof fi byth i'ch blino eto,' meddai. 'Rydw i wedi methu yn fy ymchwil, ac mi wnaf lw na rof fy nhroed yn llechwraidd ym Mhlas Bryn Mynach byth mwy. Mi gewch berffaith lonydd o hyn allan.'

Trodd i adael yr ystafell.

'Arhoswch funud!' meddai Nest. 'Gadewch i mi wybod beth wnaethoch chi i dreio gwneud synnwyr o'r hyn ddywedodd eich tad wrthych chi. ''Chwilia am ddant y llew a'u difa.'' Dyna ddywedodd o, yntê? Ddaru chi chwilio am ddant y llew?'

'Do, ac mi fethais,' meddai Hywel â thinc anobaith yn ei lais. 'Ar y dechrau, roeddwn i'n meddwl fod rhyw gist neu focs wedi ei guddio o dan dwmpath dant y llew yn yr ardd. Ond fûm i fawr o dro yn gweld fy ffolineb. Yna, mi ddaeth imi'n sydyn y gallai fod yn y tŷ ryw gwpwrdd neu guddfan ddirgel y gellid ei agor trwy bwyso un o'r blodau sydd wedi eu cerfio ar bron bob panel yn yr ystafelloedd. Mae yna gannoedd o flodau wedi eu cerfio o gwmpas y muriau ac uwchben y tân a hyd byst y canllawiau. Mae'n bosib mai dant y llew ydi llawer o'r rheiny, ond fedr neb ddweud yn bendant. Felly, rydw i wedi treulio oriau yn y tŷ 'ma yn ceisio troi neu bwyso'r blodau fesul un ac un i chwilio am ryw guddfan lle gallai 'Nhad fod wedi cuddio'r papurau.'

'Ond nid blodau sydd wedi eu cerfio ar byst gwely'r ystafell lle buoch chi'n chwilio,' meddai Nest.

'Nage, rydw i'n dod at hynny,' atebodd Hywel. 'Roeddwn i'n crwydro hyd lethrau Carreg Llam y dydd o'r blaen, bron ag ildio mewn anobaith. Roeddwn i'n sibrwd geiriau 'Nhad, "Chwilia am ddant y llew a difa nhw," wrthyf fy hun. Ac yn sydyn dyma fi'n cofio am y llewod cerfiedig oedd yn byst traed y gwely mawr. Roeddwn i'n synnu na fuaswn i wedi meddwl amdanyn nhw ynghynt. Mi gofiais fod eu cegau nhw'n agored a'r dannedd yn y golwg. Tybed ai dannedd llewod oedd gan 'Nhad, ac nid blodau? Fedrwn i ddim peidio â gweiddi mewn llawenydd. Roeddwn yn sicr fy mod wedi datrys y neges ac roeddwn yn dyheu am weld nos Sul yn dod.'

'Ydi'ch mam yn gwybod am yr ymchwil?' gofynnodd Nest.

'Ydi,' oedd yr ateb, 'ac mae'r siom a'r pryder bron â'i llethu hi. Mi wyddoch, mae'n debyg, mai ymguddio rydyn ni'n dau yng nghesail Carreg Llam. Mae'n debyg mai yn y ddalfa y buaswn innau cyn hyn pe bai'r awdurdodau yn gwybod fy mod hyd y fan 'ma. Mi fyddaf yn cadw draw o Nefyn ac o gyrraedd y trigolion, hynny fedra i.'

'Roeddwn i'n amau hynny pan oeddych chi'n fy nanfon yn ôl efo'r cwch y diwrnod y syrthiais i'r môr,' meddai Nest. 'Ond ewch ymlaen. Wedi i chi ganfod dant y llew, be' ddigwyddodd?'

'Mi welais yn y fan mai dyna oedd cenadwri 'Nhad,' meddai Hywel. 'Mi bwysais ar y dannedd fesul un ac un, ac yn sydyn, mi agorodd pen y llew fel caead, gan ddatguddio gwagle. Mi wthiais fy mraich i mewn, ond mi drodd fy llawenydd yn siomiant chwerw pan welais ei fod yn wag. Doedd yno na blwch na phapur. Un ai roedd 'Nhad wedi symud y papur ac wedi anghofio hynny — er bod hynny'n bur annhebyg — neu mae rhywun wedi darganfod y guddfan o 'mlaen i. Does gen i ddim i obeithio amdano bellach ond bod y papurau, trwy ryw wyrth, wedi syrthio i ddwylo rhyw Frenhinwr, a'u bod yn ddiogel unwaith eto.'

'Pe bawn i wedi eich cyfarfod ynghynt, mi fuaswn wedi arbed y drafferth i chi ddod i lawr heno,' meddai Nest yn hamddenol. 'Roeddwn i'n gwybod am fodolaeth y prawf. Papur ydi o sy'n profi y tu hwnt i bob amheuaeth fod eich tad, a nifer o Frenhinwyr eraill, wedi cymryd rhan mewn cynllwyn yn erbyn y Seneddwyr. Rydw i'n gwybod hefyd fod y prawf wedi ei ddarganfod.'

Aeth wyneb Hywel yn wyn fel y galchen, a chrynai ei wefusau.

'Gobeithio'r nefoedd nad ydi o wedi syrthio i

ddwylo Seneddwr,' meddai, a'r geiriau fel pe baent yn ei dagu. 'Na ato Duw mo hynny!'

'Ydi,' meddai Nest yn araf deg. 'Mae o yn nwylo Seneddwr.'

Gollyngodd Hywel ei ben ar ei freichiau, ac am funud aeth ei deimladau yn drech nag ef.

'O 'Nhad! 'Nhad!' llefodd yn floesg. 'Mi fydd eich gwaed ar fy mhen i am fod mor hir yn deall yr hyn ddwedsoch chi! 'Nhad! Mam! Wna i byth faddau i mi fy hun!'

Cododd ei ben yn sydyn.

'Mi fynnaf ei gael, doed a ddelo,' meddai, a min ar ei lais. 'Nest, dydw i ddim am i chi fradychu neb, ond ydi o'n ormod gofyn pwy ydi'r Seneddwr sydd wedi cael gafael ar y prawf?'

'Fi,' meddai hithau'n dawel.

Pennod 9

Neidiodd Hywel ar ei draed fel pe bai wedi ei gyffwrdd â phicell.

'Nest!' meddai'n gyffrous. '*Chi* gafodd hyd i'r prawf? Roeddych chi wedi darganfod dirgelwch dant y llew o 'mlaen i, felly? Trwy ddamwain y daethoch chi o hyd iddo fo?'

'Mi dreiaf ateb eich cwestiynau,' meddai hithau dan wenu. 'Ie, fi gafodd hyd i'r papurau, ond nid cyn i chi ddod o hyd i'r guddfan. Chi, Hywel, welodd y guddfan, a'm harwain i ati. Mi welais ôl eich traed yn yr haenen flawd, ac ôl eich bysedd hyd y cerflun.'

'Ond mi af ar fy llw fod y twll yn hollol wag pan

50

ffeindiais i o,' meddai Hywel mewn penbleth. 'Ac eto, rydych chi'n dweud wrthyf eich bod wedi dod o hyd i'r papurau ar *ôl* imi fod yno! Mae hynny'n amhosibl!'

'Nac ydi,' meddai hithau, ac eglurodd iddo fel yr oedd wedi amau mai gwaelod ffug oedd i'r twll gan nad oedd yn gyd-wastad â'r llawr, ac fel y cafodd hyd i'r wir guddfan islaw, a'r blwch hirgul y tu mewn iddi. Rhyfeddai Hywel o'i chlywed.

'Mi fuaswn inna, hwyrach, wedi ei ddarganfod heno, ond fel yna y mae hi. Lle mae'r blwch?' holodd yn bryderus. 'Ydych chi wedi ei ddangos o i'ch tad? Be' ydych chi am ei wneud efo fo?'

'Mi fûm yn petruso am beth amser,' meddai hithau'n onest. 'Mi fûm mewn cyfyng gyngor be' fyddai orau i'w wneud. Roeddwn i'n credu ar bryd-iau mai fy nyletswydd oedd ei roi i 'Nhad. Ond rydw i wedi penderfynu ei roi yn ôl i chi. Ŵyr neb am ei fodolaeth ond fi.'

Ymgrymodd Hywel o'i blaen, fel pe bai'n fren-hines.

'Bendith arnoch chi, Nest,' meddai â chryndod yn ei lais. 'Gwyn fyd na fedrwn i wneud rhywbeth i dalu'n ôl i chi am yr hyn yr ydych chi wedi ei wneud i mi a'm heiddo.'

'Peidiwch â siarad fel yna,' meddai hithau'n frysiog. 'Arna i y mae'r ddyled i chi, am achub fy mywyd. Ond rhaid i mi fynd i nôl y blwch er mwyn i chi ei gael a mynd yn ôl heb i neb eich gweld.'

'Nid yma mae o?' gofynnodd Hywel mewn syndod.

'Nage,' meddai hithau, 'ond mi awn ni i'w nôl o y funud 'ma.' Ac adroddodd wrtho yr hyn oedd wedi digwydd.

Aeth y ddau o'r ystafell trwy ddrws y cwpwrdd mawr, ac i lawr y grisiau tywyll.

'Gafaelwch yn fy llaw,' meddai Hywel, ac ufuddhaodd hithau. Yr oedd yn falch o gael gwneud hynny gan fod iasau o ofn yn ei meddiannu wrth gerdded ar hyd y llwybr tanddaearol ac i fyny'r grisiau at lechfaen Gethin Vaughan.

'Ust!' meddai Hywel, gan sefyll yn sydyn. 'Mae sŵn canu yn dod o rywle. Glywch chi o? Sŵn canu yn y plygain! Be' ar y ddaear sy'n bod?'

Dychrynodd y ddau wrth glywed y sŵn pruddaidd uwch eu pennau, a hwythau o dan y garreg fedd. Yr oedd yn union fel canu cynhebrwng, yn araf a lleddf. Cofiodd Nest yn sydyn iddi glywed fod hen offeiriad a fu'n gwasanaethu ym mhlwyf Nefyn ymhell cyn ei dyfodiad hi i Blas Bryn Mynach, wedi marw. Y tebygrwydd oedd mai gwylnos ar ôl yr hen berson oedd yn yr eglwys.

Safodd Hywel a hithau law yn llaw ar y grisiau o dan y gistfaen yn gwrando ar y canu pruddglwyfus. Yn y man, clywent sŵn traed yn cerdded uwch eu pennau a gwyddent fod yr wylnos trosodd, a'r gynulleidfa yn mynd allan fesul un ac un. Wedi i'r sŵn traed ddistewi, agorodd Hywel y maen a daethant i'r eglwys. Yna cychwynnodd y ddau i gyfeiriad y clochdy.

Ehedai'r tylluanod a'r ystlumod o'u cuddfannau yn yr eiddew tewfrig, fel y dringai'r ddau i ben y to sgwâr. Gwnâi eu hadenydd y trwst mwyaf ofnadwy. Tynnodd Nest y garreg o'i lle a'i chalon yn curo gan ofn fod rhywbeth wedi digwydd i'r blwch pwysig.

Ond yno yr oedd, yn union fel yr oedd hi ei hun wedi ei ddodi wythnos ynghynt. Tynnodd ef allan yn ofalus, a rhoddodd ef i Hywel. Agorodd yntau ef ar unwaith a cheisio darllen yr hyn oedd ar y papurau. Erbyn hyn yr oedd y wawr wedi torri, a phelydrau codiad haul yn melynu'r awyr uwchben y Gwylwyr a Charreg Lefain, ac wrth graffu, medrai Hywel ddarllen yr ysgrifen. Gwelodd bwysigrwydd y rhestr ar amrantiad, a thra cyflymai ei lygaid drosti chwibanodd yn isel mewn syndod o weld rhai o'r enwau a oedd arni. Am funud yr oedd wedi llwyr anghofio bod Nest yno.

'Mi wyddwn yn iawn am rai ohonyn nhw,' sisialodd wrtho'i hun, 'ond mae'r lleill yn hollol newydd i mi. Dyma Syr John Owen, wrth gwrs. Mi glywais 'Nhad yn dweud lawer gwaith y carai Syr John godi byddin newydd bob dydd i'r brenin pe gallai. Gwyn fyd na fyddai hynny'n bosibl! A dyma Miles Syndracomb sydd yr un mor eiddgar. Ond am y rhain . . . Pwy fuasai'n meddwl! Yr argian fawr!'

Rhoddodd y papurau yn ôl yn ofalus, a chuddiodd y blwch dan ei fantell. Yna aeth y ddau yn gyflym i lawr grisiau'r clochdy. Gwyddai Hywel y byddai ei fam yn bryderus yn ei gylch ers meitin. Nid oedd wedi aros cyhyd â hyn erioed o'r blaen. Byddai wedi cyrraedd Carreg Llam bob amser cyn i'r wawr dorri, ac yn wir, yr oedd Nest, hithau, yn awyddus i gyrraedd ei hystafell rhag ofn i'w thad ei cholli o'r tŷ.

Nest oedd y gyntaf i gyrraedd y gwaelod, a gwelodd fod drws y clochdy wedi ei gau. Gafaelodd yn y fodrwy haearn i roi tro arni. Ond ni allai. Ceisiodd Hywel wneud yr un peth, ond nid oedd modd ei agor. Yr oedd y drws wedi ei gloi, a'r ddau yn garcharorion yng nghlochdy'r hen eglwys.

Edrychodd y ddau yn syn ar ei gilydd.

'Wyddwn i ddim y byddai Rhys Prisiart yn cloi

53

drws y clochdy,' meddai Nest o'r diwedd. 'Fydd o byth yn cloi drws yr eglwys ar nos Sul, fel y gwydd-och chi. Ac i be', yn enw pob rheswm, y rhoddodd o glo ar y clochdy?'

'Wel, mae o wedi ei gloi o heno, beth bynnag, gwaetha'r modd,' meddai Hywel. 'A does dim i'w wneud ond aros yma hyd nes y daw rhywun i agor. Mi ddaw Rhys neu ei wraig yma cyn hir, gan ei bod yn fore Llun erbyn hyn. Mi fyddant yn dod yma'n bur fore i lanhau.'

'Na, na, thâl hynny ddim!' meddai Nest mewn cyffro. 'Mi fydd Rhys yn siŵr o ddweud wrth 'Nhad. A sut ar y ddaear y medrwn ni egluro'r sefyllfa iddo fo? Be' mewn difrif ddywedai 'Nhad pe deuai i wybod fy mod wedi fy nghloi yn nhŵr yr eglwys efo mab i Frenhinwr? Mae'r peth yn rhy anhygoel! Fedrwn i byth roi eglurhad iddo heb ddweud y cwbl, ac mi fyddai hynny yn gwneud ein hymdrech-ion ynglŷn â'r rhestr yn hollol ddiwerth. Seneddwr ydi 'Nhad, cofiwch, Seneddwr i'r carn. A dyna ydw inna! Mi wyddoch beth fyddai'r canlyniadau pe deuai i wybod am y blwch 'na!'

Gwelodd Hywel fod rheswm yn yr hyn a ddywed-ai.

'Ie, chi sy'n iawn,' meddai. 'Yn fy ffolineb, wnes i ddim sylweddoli'r perygl. Dowch i fyny yn ôl, Nest. Does ond un peth amdani. Rhaid i mi eich gadael yn y clochdy 'ma nes daw Rhys yma i agor i chi. Mi geisiaf innau ollwng fy hun i lawr ar hyd yr eiddew o ben y clochdy 'ma, cyn i bobl y dref godi i fynd at eu gwaith, a fy ngweld.'

'O, na!' meddai Nest. 'Mae'r tŵr yn rhy uchel o lawer, a does yna ddim lle i neb fedru rhoi ei droed rhwng y cerrig sydd dan yr eiddew. Mi fyddwch yn siŵr o syrthio a chael eich lladd!'

'Dydi o ddim hanner mor beryglus â wyneb Carreg Llam,' meddai Hywel gyda gwên. 'Mi wnaethoch chi fentro dringo i'r fan honno!'

'Do, ac mi fuaswn wedi boddi oni bai amdanoch chi,' meddai hithau ar unwaith.

'Rydw i wedi hen arfer dringo creigiau llithrig yr Eifl a Charreg Llam,' meddai Hywel, 'ac mi fydd yn haws o lawer ymgripian i lawr wyneb y tŵr gan fod yr eiddew mor drwchus drosto. Yn wir, mi fuasai arnaf gywilydd ohonof fy hun pe bawn i'n methu. Ar ôl cyrraedd y gwaelod, mi ddof yn ôl i agor drws y clochdy er mwyn i chi gael mynd yn ôl i Blas Bryn Mynach trwy'r llwybr cudd. Felly, mi fedrwn ein dau fynd adre heb i neb wybod ein bod wedi bod yma.'

Ar ôl cyrraedd pen y tŵr, tynnodd Hywel y blwch allan o'i fynwes a rhoddodd ef yn ôl i Nest.

'Ar hyn o bryd, mi fydd yn saffach gennych chi,' meddai. 'Llosgwch o cyn gynted ag y cyrhaeddwch yn ôl. Rydw i'n ymddiried yn llwyr ynoch chi.'

Methai Nest â deall pam y rhoddai Hywel y blwch yn ôl iddi. Ond cymerodd ef heb ddweud gair.

Taflodd y bachgen y glog felfed ddu a oedd amdano dros ymyl y tŵr. Syrthiodd ar y gwellt a dyfai rhwng y llwybr a'r afon islaw, a gollyngodd Hywel ei hun i lawr dros ymyl y tŵr ar ei hôl. Bu'n hongian gerfydd ei ddwylo uwchben y dibyn am ychydig, fel y chwiliai am le i orffwys ei droed yn yr eiddew. Gwelai Nest figyrnau ei ddwylo yn wynion ar y cerrig, fel y dechreuai ddringo i lawr y dibyn yn ofalus.

Edrychodd Nest dros ymyl y tŵr, a gwelai ef yn ei ollwng ei hun i lawr yn gyflymach, gyflymach, heb lawer o anhawster. Ond pan oedd o fewn rhyw ugain troedfedd i'r gwaelod, gwelodd ddyn yn cerdded ar hyd y llwybr islaw i gyfeiriad Plas Bryn Mynach. Daliodd Nest ei hanadl, gan obeithio yr âi'r estron heibio heb weld Hywel. Gallai weld ar ei wisg mai Seneddwr ydoedd, a'i fod yn ŵr o fri a safle. Gwyddai nad un o drigolion Nefyn ydoedd, a methai â dyfalu beth allai ei neges fod ym Mhlas Bryn Mynach ar awr mor fore.

Roedd yn amlwg fod Hywel wedi ei weld hefyd, ac wedi swatio yn ei unfan yn yr eiddew, rhag gwneud yr un smic o sŵn i dynnu sylw'r dyn. Aeth y gŵr heibio i'r glog felfed ddu a'r rhimyn o frodwaith arian heb gymryd unrhyw sylw ohoni. Ymddangosai fel petai mewn myfyrdod dwfn. Rhoddodd Nest ochenaid o ryddhad pan welodd hyn.

Ond druan ohoni! Y funud nesaf clywodd sŵn rhwygo erchyll, ac er ei dychryn, gwelodd ddarn mawr o eiddew yn ymwahanu â'r mur a Hywel yn syrthio'n bendramwnwgl i lawr bron wrth draed y Seneddwr dieithr.

Pennod 10

Neidiodd Hywel ar ei draed ar unwaith, a gwelai Nest nad oedd wedi brifo. Y teimlad cyntaf a ddaeth drosti oedd diolchgarwch mai ganddi hi yr oedd y blwch a'r prawf, ac nid gan Hywel. Safodd y Seneddwr gan edrych yn syn ar y bachgen hardd, gosgeiddig a safai o'i flaen, a thoreth o eiddew yn driphlith draphlith o'i gwmpas. Yna gwibiodd ei lygaid, a oedd erbyn hyn yn graff ac effro, i fyny'r clochdy. Ond yr oedd Nest wedi tynnu ei phen yn ôl cyn iddo allu ei gweld. Gwrandawodd yr eneth yn astud ar yr hyn oedd yn mynd ymlaen oddi tani. Y Seneddwr oedd y cyntaf i siarad.

'Dringo'r clochdy, aiê?' meddai o'r diwedd. 'Mi welaf ar eich gwisg mai Brenhinwr ydych chi, ac yn fab i uchelwr. Felly doeddych chi ddim ar unrhyw berwyl da yn eich gollwng eich hun i lawr o ben clochdy'r hen eglwys yma ar awr mor fore. Rydw i ar fy ffordd i Blas Bryn Mynach a rhaid i chi ddod efo mi. Hwyrach y caf eglurhad gan Llywelyn ap Maelgwyn yn eich cylch.'

Gafaelodd ym mraich Hywel, a gwelodd Nest y ddau yn cychwyn cerdded i gyfeiriad ei chartref.

Rhyfeddai na fuasai Hywel yn gwneud ymdrech i ddianc o afael y Seneddwr. Nid oedd modd iddi wybod mai dyna'r peth cyntaf a ddaethai i feddwl Hywel hefyd. Gwyddai ei fod yn hoywach ac yn ieuengach na'r Seneddwr, ond gwyddai hefyd fod yr estron yn cario arfau. Hongiai pistol wrth ei wregys ac yr oedd yn amlwg na fuasai yn petruso ei ddefnyddio pe bai angen. Sylweddolodd Hywel ar unwaith mai ynfydrwydd fyddai ceisio dianc, ac mai'r peth doethaf o lawer oedd mynd yn dawel. Nid oedd ganddo ddim i'w guddio rhagddynt, ac ochneidiodd yn ddiolchgar fod y blwch ym meddiant Nest, neu buasai popeth ar ben arno.

Nid oedd wedi rhagweld argyfwng fel hwn pan ddaeth y syniad o roi'r rhestr i Nest i'w feddwl, er ei fod wedi ofni y gallai rhyw anffawd ddod i'w ran. Ei unig reswm dros ei roi iddi oedd fod arno ofn i rywbeth ddigwydd iddo ac i rywun ddod o hyd i'r blwch.

Nid oedd yn hidio rhyw lawer beth a ddeuai ohono ef ei hun, cyn belled â bod y blwch yn sâff, a cherddodd yn dawel a digyffro wrth ochr y Seneddwr.

Daethant at y porth, a chanodd y gŵr dieithr y gloch fawr a hongiai yn y fan honno. Agorodd y porthor y drws a chawsant fynediad i'r tŷ. Rhedai teimladau chwerw trwy feddwl Hywel wrth fynd i mewn trwy brif borth ei hen gartref liw dydd, a gweld y newidiadau a wnaed gan ddwylo estron. Aethant i mewn i'r neuadd, a rhoddodd Llywelyn ap Maelgwyn groeso cynnes i'r Seneddwr, er yr edrychai braidd yn syn o'i weld. Ond synnodd fwy byth pan welodd y cwmni a oedd ganddo. Nid oedd wedi dychmygu y byddai Brenhinwr yn ymweld ag ef, ond buan y cafodd eglurhad.

'Wn i ddim ydi o'n arferiad yn y dref yma i Frenhinwyr fynd a dod i'ch eglwys trwy ddringo'r clochdy,' meddai'r Seneddwr ar ôl cyfarch ei gyfaill, 'ond dyna beth ddigwyddodd heddiw, a thrwy ddamwain, mi lithrodd ei droed. Mae hwn yn uchelwr, fel y gwelwch wrth ei osgo a'i wisg. Mae nod ac arwydd bonedd ar ei ymarweddiad. Ond mae'n debyg eich bod yn ei 'nabod?'

Safai Hywel dipyn o'r neilltu pan oedd y ddau yn ymddiddan. Trodd Llywelyn yn awr i graffu arno.

'Na,' meddai, 'dydw i ddim yn ei 'nabod o. Welais i mohono erioed o'r blaen.'

'Dyna oeddwn i'n ei ofni,' meddai'r Seneddwr. 'A dyna beth barodd i mi ddod ag o yma. Amau yr oeddwn i ei fod o ar berwyl drwg. Mi fydd rhaid i ni ei chwilio. Mae'n rhaid i ni fod yn bur wyliadwrus o bob Brenhinwr y dyddiau terfysglyd yma yn hanes ein gwlad.'

'Eitha gwir,' atebodd Llywelyn. 'Dydi'r bachgen yma ddim yn un o drigolion Nefyn. Rydw i'n siŵr o hynny.' Trodd at Hywel, a gofynnodd yn chwyrn,

'Be' ydi'ch enw chi, fachgen?'

'Hywel Trefor,' oedd yr ateb parod. Dyna mewn gwirionedd oedd ei ddau enw cyntaf. Yr oedd Hywel hefyd am fod yn wyliadwrus.

'Trefor? Trefor?' ymsoniodd Llywelyn yn fyfyriol. 'Na, dydw i'n 'nabod neb o'r enw yna.' Yna dechreuodd holi Hywel drachefn.

'Ym mhle mae eich cartref? Pwy ydi'ch teulu?'

Teimlai Hywel ei hun ar dir sigledig.

'Mae fy nheulu ar wasgar,' meddai'n ochelgar. 'Rydw i'n byw ar hyn o bryd yng nghyffiniau'r Eifl, fan draw.'

'Felly'n wir,' meddai Llywelyn. 'Be' oedd eich neges yng nghlochdy eglwys Nefyn mor fore â hyn? Sut na fuasech chi wedi cerdded allan oddi yno trwy'r drws fel rhyw Gristion arall?'

'Deall wnes i fod gwylnos ar ôl hen offeiriad, ac am resymau neilltuol, doedd arna i ddim eisiau i rai o'r gynulleidfa fy ngweld. Felly mi drois i mewn i'r clochdy,' meddai Hywel yn gynnil, gan geisio dal at y gwir orau y gallai.

Cyffyrddodd Llywelyn ap Maelgwyn mewn cloch oedd yn ymyl, a daeth gwas i mewn i'r ystafell. Nid oedd ganddo nac amser nac amynedd i groesholi mwy ar y bachgen gan fod ei gywreinrwydd yn peri iddo ddyheu am glywed yr hyn oedd gan yr ymwelydd i'w ddweud wrtho. Gwyddai'n eithaf da na fuasai Cyrnol Jenkins yn ymweld â Phlas Bryn Mynach yn y bore fel hyn oni bai fod ganddo fater o bwys i'w drafod. Yr oedd blynyddoedd wedi mynd heibio er pan gyfarfu Cyrnol Jenkins o'r blaen, a chofiai yn iawn am yr achlysur.

'Huw!' meddai, 'dos â'r bachgen 'ma i'r stafell nesa a chwilia fo yn fanwl rhag ofn fod ganddo fo ryw bapurau neu rywbeth o'r fath yn ei feddiant. Os na fydd ganddo ddim, gad iddo fynd. Ond os bydd, cadw fo dan glo nes y caf gyfle i gael sgwrs bellach efo fo. Cofia, hefyd, nad oes neb i aflonyddu arnaf tra byddaf efo Cyrnol Jenkins.'

Diolchai Hywel fel yr aent allan o'r ystafell mai gŵr dieithr oedd y gwas. Daethai gyda Llywelyn ap Maelgwyn i Blas Bryn Mynach. Dyna hanes y gweision i gyd, mewn gwirionedd, oddieithr un o'r enw Gruffydd. Bu Gruffydd unwaith yng ngwasanaeth Syr Arthur, ond gadawodd Blas Bryn Mynach i fynd yn wehydd, ac ar ôl hynny, ymunodd â byddin y Senedd. Trigai yng Nghlynnog, ac ar ôl i'r rhyfel orffen, cafodd le yn ei hen gynefin ym Mhlas Bryn Mynach, ond o dan feistr gwahanol. Gwyddai Hywel ei fod yn y plas a diolchai nad ef a alwyd i mewn, neu buasai wedi adnabod Hywel yn y fan. Ond yn awr, yr oedd y perygl drosodd. Nid oedd ganddo ddim i'w guddio, ac yr oedd y blwch yn sâff gan Nest.

Ni fu'r gwas yn hir yn chwilio. Gwelodd Huw nad oedd gan y Brenhinwr ddim amheus yn ei feddiant, a gadawodd iddo ymadael.

Cerddodd Hywel yn hamddenol a difater yr olwg nes y cuddiwyd ef gan goed Bryn Mynach. Yna rhedodd nerth ei draed drwy'r fynwent ac at ddrws yr eglwys er mwyn agor drws y clochdy i Nest.

Gafaelodd yn y glicied a cheisiodd ei agor. Ond ni

fedrai. Nid yn unig yr oedd clo ar ddrws y clochdy, yr oedd clo ar ddrws yr eglwys, hefyd.

Pennod 11

Daliai'r Seneddwr dieithr i edrych yn synfyfyriol ar ôl Hywel wedi iddo adael yr ystafell gyda Huw.

'Mae'r bachgen yna yn fy atgoffa o rywun,' meddai, 'ond wn i ar y ddaear pwy. Mi gefais fraw pan syrthiodd o wrth fy nhraed fel pe bai o wedi disgyn o'r awyr. Y drwg ydi fod yn rhaid i ni edrych ar bob Brenhinwr fel gelyn, er bod y rhyfel drosodd. Maen nhw mor helbulus a pheryglus ag y buon nhw erioed. Yn wir, dyna ddaeth â mi i Blas Bryn Mynach y bore 'ma. Rydych wedi amau, mae'n sicr, fod gen i neges bwysig i'w thrafod.'

'Neges neu beidio, mae'n dda gen i eich gweld,' meddai Llywelyn ap Maelgwyn. 'Mi gewch ddweud eich neges tra byddwn yn bwyta. Ydych chi'n cofio ym mhle y buom ni gyda'n gilydd ddiwethaf?'

'Cofio? Ydw'n eithaf da!' atebodd y Seneddwr. 'Dydw i ddim yn debyg o anghofio Worcester tra bydda' i byw! Ydych chi'n cofio fel y bu i'n Harweinydd — heddwch i'w lwch! — wneud pont o gychod dros Hafren nes mynd â ni y tu ôl i'r Brenhinwyr a'u hysgubo o'n blaenau i mewn i'r dref? Do, mi ymladdodd y Brenhinwyr yn ffyrnig yn Worcester, o heol i heol, o dŷ i dŷ, a hyd yn oed o bennau'r tai. Ond dal i golli tir wnaethon nhw bob gafael, diolch i Dduw!'

'Ie,' meddai Llywelyn, gan anghofio'r presennol

61

ac ail-fyw y diwrnod mawr hwnnw yn Worcester. 'Ie, ydych chi'n ein cofio ni'n cymryd arnom ffoi o'u blaenau er mwyn eu denu i sgwâr y farchnad ŷd yng nghanol y dref? Ydych chi'n cofio fel roedden nhw'n bloeddio, "Ein Brenin a'n gwlad! I'r afon â'r Pengryniaid!" a'n gynnau ninnau yn tanio arnyn nhw'n sydyn o bob cyfeiriad a hwythau wedi eu dal mewn caeth gyfle? Yn wir, mi fyddaf yn dychmygu clywed llais y gŵr gwaedlyd hwnnw, Cyrnol Pride, yn fy nghlustiau o hyd yn crochlefain gan chwifio'i bastwn plwm, a medi'r Brenhinwyr i lawr fel gwair!'

'Do,' meddai Cyrnol Jenkins, 'mi gawsom fuddugoliaeth ogoneddus ac mi fuasai dyn yn tybio fod y Brenhinwyr wedi cael digon am byth. Ond y gwir amdani ydi nad oes yna ddim darostwng arnyn nhw, ac mi ddaw hyn â fi at fy neges gyda chi y bore 'ma.'

Erbyn hyn yr oedd y bwyd ar y bwrdd a'r rhai oedd yn gwasanaethu wedi gadael yr ystafell. Plygodd Cyrnol Jenkins ei ben yn nes at ei gyfaill a gostyngodd ei lais.

'Mi wyddoch, wrth gwrs, fod y Brenhinwyr, ac yn wir rai o'n plaid ni ein hunain, fel mae'r gwaetha'r modd, yn awyddus i'r Tywysog Siarl ddychwelyd i deyrnasu ar ein gwlad yn lle ei dad,' meddai. 'Mae hyd yn oed rhai oedd yn ymladd yn ei erbyn yn Worcester wedi troi o'i du, ac yn wir, rydw i'n gweld pethau yn edrych yn bur dywyll. Rhaid i ni wynebu'r ffaith nad ydi Richard Cromwell ddim hanner cystal dyn â'i dad i fod yn benllywydd. Roedd ein Harweinydd dewr yn filwr ac yn wleidyddwr, ond dydi Richard y naill beth na'r llall. Dydi o ddim chwarter mor gymwys i fod yn arwein-ydd a phennaeth. Felly, mae'n adeg aeddfed i'r Brenhinwyr ffroenuchel ddwyn eu cynllwynion i ben. Ac un o'r rhai sydd wedi bod yn ddraenen yn ystlys y llywodraeth ers dydd y dienyddiad ydi Syr Arthur Vaughan, cyn-berchennog y tŷ yma.'

'Felly rwy'n deall,' atebodd Llywelyn. 'Ond trwy drugaredd, fedr Syr Arthur ddim gwneud unrhyw niwed yn yr argyfwng yma, na chynllwynio dim yn ein herbyn. Mae o'n rhwym yng ngharchar Caer.'

'Nac ydi, fel mae'r gwaetha'r modd,' meddai'r Cyrnol. 'Dyna ydi fy neges i yma. Mae o wedi llwyddo i ddianc oddi yno!'

'Be'?' Neidiodd Llywelyn ar ei draed yn ei syndod. 'Wedi dianc? Sut? Wyddwn i ddim bod modd i neb ddianc o'r fan honno!'

'Wel, mae hwn wedi llwyddo, beth bynnag. Ac mae'n rhaid ei ddal. Mae'n ŵr rhy beryglus i fod yn rhydd. Does dim pall ar ei deyrngarwch i'r hil frenhinol ac mae ei ddewrder a'i ddylanwad yn eu plith yn ddiarhebol.'

'Ond beth alla i ei wneud?' meddai Llywelyn. 'Pam mai yma ataf i rydych chi'n dod yn ei gylch? Dydw i ddim yn cofio i mi erioed gyfarfod â'r dyn.'

'Naddo, mae'n debyg,' meddai Cyrnol Jenkins. 'Ond y peth tebycaf ydi mai yma i'w hen gartref y bydd o'n ceisio ffoi i ymguddio. Mi ŵyr am bob agen ac ogof ar lechweddau'r mynyddoedd yma. Ac mae'n debyg ei fod yn credu y gall ei deulu sleifio bwyd iddo i'w guddfan heb i neb wybod dim. Dydi o ddim yn gwybod fod ei deulu wedi mynd oddi yma, hyd y gwyddom ni, beth bynnag. O'r plas yma y'i cymerwyd o i'r ddalfa, ac yn sicr i chi, yma y ceisia ddod yn ôl. Does dim cyfathrach wedi bod rhyngddo fo a'r byd allanol ers pan garcharwyd o. Felly, mae'n debyg fod Syr Arthur dan yr argraff fod ei wraig a'i fab yma o hyd. Does neb yn gwybod ble maen nhw ar hyn o bryd, er bod llawer o chwilio wedi bod amdanyn nhw hyd y lle 'ma, er mwyn cadw llygad arnyn nhw. Wel, dyna fi wedi dweud fy neges. Rhaid i chwithau rŵan fod ar eich gwyliadwriaeth, yn enwedig yn ystod oriau'r nos. Os gallwch ei ddal, byddwch wedi gwneud cymwynas fawr â'ch plaid unwaith eto. Dyna'n fyr y genadwri sy' gen i i chi, gyfaill.'

'Mi fydd yn bleser o'r mwyaf gen i wneud yr hyn a ofynnwch,' meddai Llywelyn ap Maelgwyn. 'Mae'n dda i mi erbyn hyn fod fy ngwraig oddi cartref. Dydi hi ddim wedi bod yn gryf ei hiechyd, fel y dywedais wrthych o'r blaen, ac mi fuasai'r syniad o fod ar wyliadwriaeth am elyn sydd newydd dorri'n rhydd o garchar yn sicr o'i gwneud yn ofnus ac anesmwyth. Roeddwn i wedi addo mynd i Fiwmares gyda fy merch, ond mi gaiff Nest fynd ei hun. Felly, mi gaf fy nheulu oddi ar y ffordd tra byddaf yn gwylio. Mae Nest yn hwyr iawn yn dod o'i hystafell y bore 'ma, erbyn meddwl. Peth anghyffredin iawn yn ei hanes hi yw cysgu'n hwyr. Does dim diben sôn am hyn wrthi, wrth gwrs. Sut ddyn ydi Syr Arthur o ran pryd a gwedd, Cyrnol?'

'Welais i erioed mohono,' meddai Cyrnol Jenkins, 'ond rydw i'n deall ei fod yn ddyn cymharol dal, boneddigaidd yr olwg. Roeddwn i'n 'nabod ei wraig yn dda pan oedd yn ferch ifanc. Roedd yn ferch i Syr Michael Trefor, Llanfaelrhys.'

'Trefor ddwetsoch chi?' meddai Llywelyn yn gynhyrfus a'i lygaid yn melltennu. 'Trefor? Mi af ar fy llw mai ei mab oedd hwnna, a minnau newydd ei ollwng o'n gafael! Glywsoch chi o'n dweud ei enw? Hywel Trefor. Cyn wired â'r pader, Hywel Trefor Vaughan oedd ei enw llawn pe byddai wedi ei orffen! Rhaid cael gwybod ar unwaith. Rhaid ei ddilyn i gael gwybod lle mae eu cuddfan. Hwyrach mai i'r fan honno yr â Syr Arthur! Efallai ei fod o wedi dod i wybod nad ym Mhlas Bryn Mynach y mae ei deulu!'

Canodd y gloch eilwaith, a daeth Huw y gwas i mewn drachefn.

'Huw!' meddai Llywelyn ap Maelgwyn, 'Ydi'r bachgen yna wedi mynd? Ydi? Wel, dos ar ei ôl o ar unwaith. Mynna wybod ffordd yr aeth o, a phaid â'i ollwng o o'th olwg. Gofala beidio â gadael iddo wybod dy fod yn ei ddilyn. Dos ar ei ôl i ble bynnag yr aiff o pe byddai raid i ti gerdded trwy'r nos. Rhaid i mi gael gwybod lle mae o'n byw.'

Prysurodd y gwas o'r ystafell yn ddiymdroi.

Erbyn hyn yr oedd Hywel wedi cyrraedd at yr afon, lle'r oedd y llwybr dan y clochdy, er mwyn dweud wrth Nest fod yr eglwys wedi ei chloi.

'Nest! Nest!' meddai, 'Ydych chi'n 'y nghlywed i?'

'Ydw, Hywel,' meddai hithau o ben yr hen dŵr. 'Fedrwch chi agor i mi? Ydi popeth yn iawn?'

'Popeth,' meddai yntau, 'ond fod drws yr eglwys yn ogystal â drws y clochdy ar glo. Dod yma i ddweud hynny wnes i, rhag i chi bryderu yn fy nghylch. Rydw i am fynd i chwilio am Rhys Prisiart rŵan i beri iddo fo ddod i agor i chi.'

'Cymerwch ofal nad ewch chi'n agos ato,' meddai Nest yn bendant. 'Rhag ofn i rywun eich gweld a'ch 'nabod chi. Hywel, ewch adre gynta medrwch chi. Raid i mi ddim aros yn hir iawn yn y fan yma eto ar y gorau. Mi ddaw rhai o'r gweision o'r dref ar hyd y llwybr 'na cyn hir, ar eu ffordd i'w gwaith ym Mhlas Bryn Mynach. Mi gaf alw ar un ohonyn nhw i fynd at Rhys i nôl y goriad. Ewch, Hywel, heb golli amser!'

Chwarddodd Hywel.

'Be'? Mynd a'ch gadael chi yn garcharor yn y fan yma?' meddai. 'A chithau wedi gwneud cymaint i mi! Dim perygl yn y byd!'

'Ewch, Hywel, rydw i'n erfyn arnoch chi,' crefodd hithau'n daer. 'Rydych chi wedi creu amheuaeth yn eu meddyliau nhw'n barod. Hywel, mae'n *rhaid* i chi fynd! Y funud yma! Mae yna rywun yn y fan acw yn y coed yn eich gwylio. Rydw i'n ei weld o'n blaen o ben y tŵr 'ma. Peidiwch ag edrych i fyny yma, ond gwrandewch yn astud. Cymerwch arnoch edrych i weld y brithyll yn codi. Ie, dyna chi. Mae'n amlwg fod 'Nhad wedi anfon un o'r gweision i'ch gwylio, ac i weld i ble'r ewch chi. Mae'n edrych yn debyg i Huw. Ie, Huw ydi o. Ceisiwch daflu llwch i'w lygaid os nad ydych eisiau iddo ddarganfod eich cartref. Cerddwch i unrhyw gyfeiriad, ond i'r cyfeiriad hwnnw! Peidiwch â mynd ar gyfyl Carreg Llam ar gyfrif yn y byd. Ewch y funud 'ma, a chofiwch fod gennych ddilynwr. Ie, Huw ydi o. Mae o wedi symud o'r cysgod. Rydw i'n ei weld o'n blaen!'

'Bendith arnoch chi, unwaith eto, Nest,' meddai yntau'n ochelgar, gan ddal i graffu ar y dŵr yn rhedeg ar y graean glân, a'r mafon duon yn crogi dros ymyl y llif. 'Mi wnaf yn union fel y dywedwch.'

Cychwynnodd gerdded yn hamddenol heb gymaint â chodi ei olygon i gyfeiriad y tŵr. Yn hytrach na chroesi'r unigeddau trwy fawnog a gwaun a gweirglodd nes cyrraedd rhiwiau geirwon Carreg Llam, cefnodd ar y ffordd honno ac aeth i gyfeiriad Porth Dinllaen. Yr oedd am gerdded ymlaen nes cyrraedd y fraich hir a welai'n ymestyn i'r môr, a'r tonnau'n ymddryllio'n ewyn ar ei godrau. Yna gallai lithro i mewn i un o'r ogofau a ridylliai'r fraich greigiog.

Cofiodd am yr Ogof Bebyll oedd ag un mynediad iddi o'r tir a'r pen arall yn agor ar draeth sych pan fyddai'r môr wedi cilio draw. I'r sawl nad oedd yn gyfarwydd â'r rhan yma o'r penrhyn, anodd fuasai dyfalu mai mynediad i ogof oedd y pantle dwfn ar ffurf powlen ar y penrhyn tywodlyd. I rywun dieithr, nid oedd ond lle enbyd i'w osgoi, yn enwedig liw nos. Ni fuasai'n meddwl am foment mai'r ddaear dywodlyd oedd wedi llithro i lawr a suddo yn geubwll yn union uwchben yr ogof a bod agoriad iddi yn y creigiau ysgythrog ar waelod y bowlen, a'r pen arall i'r ogof yn wynebu'r tonnau rhyw gan-llath o'r fan.

Rhedai llwybr defaid yn un rhimyn cul ar hyd pen yr allt, a cherddodd Hywel ar hyd-ddo gan wybod fod Huw yn ei ddilyn yn llechwraidd bob cam. Ymguddiai'r gwas yn awr ac yn y man y tu ôl i wrych neu dwmpath eithin, ond gorfodid ef i ddod i'r golwg ar brydiau.

Wedi cyrraedd penrhyn Porth Dinllaen, cerddodd Hywel yn araf gan giledrych o'i ôl nes gweld fod Huw mewn pant yn yr allt, ac felly o'r golwg am foment. Dyma ei gyfle! Rhedodd yn gyflym nes cyrraedd y bowlen ddofn a edrychai'n union fel petai rhyw gawr wedi codi rhawiad o'r allt a'i thaflu i'r môr gan ddatguddio'r haenen o graig yng ngwaelod y twll. Llithrodd Hywel i lawr y dibyn gwelltog nes cyrraedd y creigiau. Yna ymwthiodd trwy'r agen hirgul nes cyrraedd o'r diwedd i'r ogof yng nghrombil y creigiau. O'r fan honno gallai weld goleuni yn y pellter a'r mân donnau yn rhuthro i mewn drwyddo.

Teimlai bron yn siŵr ei fod wedi osgoi Huw, ac y byddai hwnnw yn pendroni ar ben y penrhyn heb wybod i ba gyfeiriad yr âi. Eisteddodd ar lawr yr ogof gan wrando ar ru'r môr yn sugno'r graean yn y mân ogofau o gwmpas, a gwyddai fod y llanw'n prysur ddod i mewn, ac y byddai'n rhaid iddo aros yn y fan honno hyd nes y deuai'n drai. Gorweddodd ar lawr, a chyn pen dim yr oedd wedi anghofio ei flinder a'i helbulon, ac yn cysgu'n drwm yn yr ogof, a'r môr yn ei suo gan ddod yn nes ato gyda thafliad pob ton.

Yr oedd Huw yn sefyll fel dyn wedi ei syfrdanu. Un funud, yr oedd Hywel yn cerdded dros y gwellt sych, cras, i gyfeiriad trwyn y penrhyn, a'r funud nesaf, yr oedd wedi diflannu oddi ar wyneb y ddaear. Edrychodd Huw i bob cyfeiriad, ond nid oedd neb ar ben y penrhyn ond ef ei hun a'r gwylanod. Edrychodd i lawr dros ddibyn yr hafn, ond nid oedd neb na dim yn y fan honno ond dannedd miniog y creigiau ysgythrog. Ni freuddwydiodd fod agen rhyngddynt yn arwain i ogof.

Ar ôl chwilio'r allt a'r creigiau a'r hafnau bob ochr, daeth ofn mawr arno. Ni welai ond pentir a môr yn ymestyn i'r pellter, ac ni chynhyrfai dim ar y tawelwch ond rhu'r tonnau ac oernadau'r gwylanod.

Cofiodd Huw yn sydyn ei fod wedi clywed ganwaith fod tylwyth teg yn cartrefu ar bentir Porth Dinllaen. A oedd a wnelo'r rheini rywbeth â'r peth? Yr oedd amryw o drigolion Nefyn wedi cael profiadau pur chwerw o'u hanwybyddu ac o wrthod rhoi benthyg iddynt. Cofiodd iddo glywed un tro am eneth o forwyn a aeth gyda'i chariad am dro ar hyd penrhyn Porth Dinllaen, ac wrth ddychwelyd rhwng tywyll a golau, diflannodd yr eneth fel diffodd cannwyll. Ond ymhen un dydd a blwyddyn daeth yn ei hôl, wedi cael blwyddyn o lawenydd digymysg gyda'r tylwyth teg. Torrodd chwys oer dros Huw a phenderfynodd fynd yn ôl am ei fywyd i ddweud yr hanes wrth ei feistr. Yr oedd wedi gwneud ei ddyletswydd, a pha ddyn a fedrai wneud mwy? Brasgamodd yn ôl i Blas Bryn Mynach yn llawer cyflymach nag yr aeth oddi yno. Yr oedd arno fwy o ofn y tylwyth teg na dig ei feistr, hyd yn oed!

Pennod 12

Wedi i Hywel ufuddhau i orchymyn Nest, ac ymadael, gwelodd yr eneth ei bod wedi dyfalu'n gywir. Yr oedd yn amlwg bod ei thad wedi anfon Huw i wylio Hywel oherwydd diflannodd y gwas bron cyn gynted â'r bachgen.

Ni fu Nest yn hir cyn clywed sŵn troed ar y llwybr islaw iddi. Edrychodd drwy'r trwch eiddew, a gwelodd Grasi Prisiart yn gwyro i godi dŵr o'r afon. Pan oedd yn ymsythu, a'r stên yn llawn, galwodd Nest ei henw a chododd Grasi'n syth i fyny gan edrych i bobman ond i ben y tŵr.

'Yn eno'r annwyl, pwy sy'n galw?' meddai'n uchel wrthi'i hun.

'Edrychwch i ben y clochdy, Grasi, ac mi gewch weld,' meddai Nest.

Bu'n agos i Grasi syrthio wysg ei chefn i'r afon wrth weld merch Plas Bryn Mynach yn y fath le. Eisteddodd yn swta ar y byrwellt gan adael i'r dŵr redeg yn ôl i'r afon o'r stên. Edrychodd i ben y tŵr fel un yn gweld ysbryd.

'Agorwch ddrws yr eglwys a'r clochdy, Grasi Prisiart bach,' meddai Nest. Ond ni wnaeth Grasi yr un ymgais i symud o'i hunfan.

'Yr argian fawr!' meddai o'r diwedd. 'Sut yr aethoch chi i'r fath le?'

'Agorwch ddrws yr eglwys ac mi gewch wybod yr hanes,' meddai Nest gan ddyfalu pa esboniad a roddai i Grasi. Gwyddai y byddai'r stori trwy Nefyn cyn pen yr awr. Yr un pryd, daeth i'w meddwl y gallai gymryd yr wylnos fel esgus dros fod yn yr eglwys yn y plygain.

'Yr achlod fawr! Pwy fuasa'n meddwl!' meddai Grasi wedyn gan geisio codi a sychu ei dwylo yn ei ffedog. Gadawodd y stên ar lan yr afon, a phrysurodd tua'r bwthyn wrth fur y fynwent i nôl yr agoriad. Ymhen ychydig funudau, clywai Nest y bar rhydlyd yn cael ei dynnu y tu allan i ddrws y clochdy, a gwyddai fod ymwared wedi dod o'r diwedd. Aeth i lawr i gyfarfod Grasi.

'Gwarchod ni! Cael eich cloi yn yr eglwys ddaru chi, a dringo i ben y clochdy i dreio tynnu sylw rhywun, a ninna'n digwydd cloi arnoch chi yn y fan honno?' meddai Grasi bron ar un anadl, gan gynnig, yn ddiarwybod iddi, eglurhad eithaf rhesymol i Nest ar y sefyllfa.

'Ie,' meddai Nest, 'ac mi wnaeth y clo ar y clochdy bethau'n waeth na chynt.'

'Wel do, reit siŵr,' meddai'r hen wraig. 'Rhys ddaru, mi wn. Choeliech chi byth mor ofalus ydi Rhys. Mi fydd bob amser yn taro bar ar ddrws y clochdy am ei fod yn ddrws mor simsan. Mae o wedi llacio rywfodd, ac yn siglo ar ei golyn. Un noson, a'r drws yn siglo fel hyn, mi ehedodd tylluan i mewn i'r eglwys. A welsoch chi erioed y fath lanast wnaeth hi. Byth ers hynny, mi fydd Rhys yn 'morol rhoi'r bar. Er, cofiwch, mi fyddwn yn anghofio weithiau. Mi ddylech fod wedi canu'r gloch, Meistres Nest.'

'Mi fuaswn wedi dychryn holl drigolion y dref o'u synhwyrau pe bawn wedi gwneud y fath beth ganol nos,' meddai Nest gan chwerthin. 'Yn enwedig ar ôl gwylnos. Na, roedd yn well i mi aros fel y gwnes i.'

Gwyddai y buasai ei thad yn sicr o glywed yr hanes yn hwyr neu'n hwyrach, ac y byddai yn ddig iawn wrthi am fynd i'r fath le a gwneud sôn amdani ei hun. Ond yr oedd yn rhaid dioddef hynny. Yr oedd y blwch yn sâff, a dyna'r peth pwysicaf wedi'r cwbl. Rhoddodd ei llaw yn ei mynwes. Oedd, yr oedd yn berffaith sâff ym mhlygion ei gwisg.

Yr oedd ei thad a'r Seneddwr yn cerdded yn y berllan pan gyrhaeddodd Nest y porth. Aeth yn syth atynt.

'Ble'r wyt ti wedi bod, Nest?' holodd ei thad yn chwyrn. 'Pam fod rhaid i ti grwydro fel hyn a cholli pryd bwyd?'

'Damwain, 'Nhad,' meddai hithau. 'Mi gefais fy nghloi yng nghlochdy'r eglwys, a'r funud yma y medrais i dynnu sylw Grasi Prisiart i ddod i agor imi.'

71

'Yng nghlochdy'r eglwys!' meddai ei thad mewn syndod. 'Be' yn enw pob rheswm oeddet ti'n ei wneud yn y fath le? Ble'r oedd dy synnwyr di, eneth?'

Daeth gwên i wyneb y Seneddwr, a oedd wedi ymneilltuo dipyn oddi wrth Llywelyn a'i ferch. Meddyliodd ei fod wedi dod o hyd i gyfrinach y Brenhinwr ifanc a syrthiodd i lawr wrth ddringo tŵr yr eglwys. Yr oedd yr eneth yma ac yntau wedi mynd yno i gyfarfod â'i gilydd ac wedi cael eu cloi i mewn. Yr oedd ganddo bob cydymdeimlad â hwy gan y teimlai eu bod, o bosib, mewn cariad â'i gilydd. Ond oherwydd y sefyllfa wladol, nid oedd wiw i Frenhinwr feddwl am fynd i gyfarfod â merch i Seneddwr amlwg fel Llywelyn ap Maelgwyn.

'Pe bawn i wedi amau peth fel hyn, fuaswn i byth wedi gwneud i'r bachgen ddod yma i Blas Bryn Mynach efo mi,' meddyliodd. 'Er hwyrach mai trwy hyn y cawn ni afael ar ei dad, oherwydd does yr un amheuaeth yn fy meddwl nad mab Syr Arthur ydi o. Mae o'r un ddelw â'i fam.'

Erbyn hyn yr oedd ei gyfaill a Nest wedi dod yn ôl ato, ac wedi ei gyfarch a siarad ag ef am ychydig, aeth yr eneth i'r tŷ gan adael ei thad a Cyrnol Jenkins yn yr ardd.

'Mae eich merch wedi tyfu i fod yn eneth dlos,' meddai Cyrnol Jenkins.

'Ydi,' cytunodd y tad, 'ond wn i ddim beth i feddwl ohoni'r dyddiau yma. Mae'n gwneud y pethau rhyfeddaf. Pe byddai ei mam gartref hwyrach y buasai'n medru deall pethau yn well na mi. Rydw i'n credu mai'r peth gorau fyddai anfon Nest at ei mam i Gastell Biwmares yn ddiymdroi. Wnaiff tipyn o newid ddim drwg iddi hithau, chwaith. Yna mi gaf ryddid i wylio am Syr Arthur Vaughan heb orfod egluro fy symudiadau i neb.'

Wedi mynd yn ôl i'r tŷ, aeth Llywelyn ap Maelgwyn i ystafell ei ferch.

'Nest,' meddai, 'rydw i'n bwriadu dy anfon i Biwmares at dy fam am ryw wythnos. Mi gaiff un o'r gweision — Gruffydd, mae'n debyg — fynd yn gwmni i ti ar y daith. Mi gewch adael y ceffylau yn stablau Moel y Don ac mi ddaw Gruffydd dros y Fenai gyda thi. Mae gwŷr y doll yn bur wyliadwrus ar hyn o bryd pwy sydd yn croesi drosodd i Ynys Môn, gan fod cymaint o'r Brenhinwyr wedi medru croesi a dianc y ffordd honno i Iwerddon a lleoedd eraill.'

'Ond pam na ddowch chi efo mi, 'Nhad?' gofynnodd Nest.

'Mi ddof i'ch nôl eich dwy ymhen yr wythnos,' atebodd yntau. 'Fedra i ddim gadael y lle 'ma ar hyn o bryd. Ond ymhen wythnos union, mi fyddaf efo chi yng Nghastell Biwmares. Rŵan, rydw i'n dod at fater arall. Mae arna i eisiau siarad yn ddifrifol ynghylch rhai digwyddiadau nad ydw i'n eu deall. Mae arna i eisiau eglurhad manwl a phendant ar dy symudiadau neithiwr. Rwyt ti wedi addef i ti gael dy gloi yng nghlochdy'r eglwys. Yn rhyfedd iawn, mi syrthiodd Brenhinwr ifanc wrth draed Cyrnol Jenkins gynnau wrth ddringo o ben tŵr y clochdy. A'r cwestiwn sydd raid i ti ei ateb, a'i ateb yn gywir, ydi hwn. Ai mynd i'r eglwys i gyfarfod â'r bachgen hwnnw wnest ti?'

Edrychodd ei thad arni'n dreiddgar.

'Nage, 'Nhad,' meddai hithau'n ddibetrus. 'Coeliwch fi, wnes i ddim mynd o'r tŷ i gyfarfod neb. Wnes i erioed drefnu i gyfarfod bachgen yn llechwraidd nac yn gyhoeddus, yn un man. Mi ddylech fy 'nabod yn well na hynna, 'Nhad.'

'Diolch am hynny. Rydw i'n dy gredu, ac yn ymddiried ynot, fy merch,' meddai'r tad yn ddwys, gan roddi ochenaid o ryddhad, a thynnu ei law yn dyner trwy gudynnau modrwyog ei gwallt.

Daeth dagrau i lygaid Nest. Yr oedd yn caru ei thad yn fwy na neb, ac eto, yr oedd yn cadw cyfrinach bwysig rhagddo, cyfrinach a oedd yn arbed bywydau gelynion ei thad.

Ie, dyna'r rheswm. Arbed bywyd. Ni allai byth deimlo yn ddedwydd pe byddai hi, Nest, yn gyfrifol am farwolaeth yr un ohonynt, er eu bod yn wrthryfelwyr ac yn elynion i'w phlaid. Yn wir, ni allai deimlo rywfodd fod y gwŷr oedd â'u henwau ar y rhestr yn elynion iddi o gwbl. Nid oeddynt erioed wedi gwneud niwed iddi, ac felly yr oedd yn rhaid cadw eu cyfrinach, doed a ddelo. Yr oedd yn rhaid difa'r rhestr yn ddiymdroi. Yna byddai popeth drosodd a hithau yn rhydd i fwynhau wythnos o seibiant gyda'i mam yng Nghastell Biwmares.

Wedi i Llywelyn ap Maelgwyn adael yr ystafell, gorweddodd Nest ar ei gwely, a chysgodd yn drwm. Cysgodd am oriau, a breuddwydiodd am goflech Gethin Vaughan, am y clochdy, am Hywel, am y blwch. Breuddwydiodd fwy nag unwaith am y blwch.

Gwelai'r gwŷr oedd â'u henwau ar y rhestr yn sefyll eu prawf, a hi, Nest, oedd i roi'r ddedfryd. Safent o'i blaen yn rheng ar reng, ac er y gwyddai eu bod yn wŷr cydnerth, tanbaid, edrychent yn syn a gwelw. Sylweddolai hithau fod yn rhaid iddi eu dedfrydu i'w dienyddio. Ei hawydd pennaf oedd eu hachub, ond yn ôl arfer breuddwyd, yr oedd rhyw allu trech na hi yn ei gorfodi i'w condemnio. Y blaenaf o'r rheng oedd Syr Arthur Vaughan, a chlywai ef yn sibrwd,

'Do, achubodd fy mab eich bywyd chi, ac rydych chwithau'n talu'n ôl iddo trwy fradychu ei dad.'

Yn sydyn, gwelai Hywel yn sefyll o'i blaen, a'i lygaid tywyll yn llawn o dristwch ac anobaith, a gwyddai fod yr awr wedi dod iddi gyhoeddi'r ddedfryd a chondemnio'r gwŷr i farwolaeth. Neidiodd i fyny mewn braw, a deffrôdd yn y fan. Clywai ei hun yn gweiddi, megis rhwng cwsg ac effro,

'Na wnaf byth! O, na wnaf yn wir! Gwell gen i farw fy hun!'

Yr oedd yn chwys oer drosti, a diolchodd o waelod ei chalon mai breuddwyd ydoedd. Yr oedd wedi deffro yn iawn erbyn hyn, a sylweddolodd ei bod yn dechrau nosi, a bod machlud haul yn goreuro muriau ei hystafell.

'Rydw i wedi cysgu bron trwy'r dydd,' meddai wrthi ei hun. 'O, diolch mai breuddwyd oedd y cwbl!'

Cyn codi, gwthiodd ei llaw i fynwes ei gwisg i weld a oedd y blwch yn sâff. Oedd, yr oedd popeth yn iawn.

Yr oedd y gloch hwyrol wedi canu pan aeth Nest i lawr i'r neuadd, a llosgai tanllwyth o dân mawr yn eirias, fflamgoch yn y pen draw. Yr oedd yr aelwyd o'i flaen mor fawr a llydan fel y gallai tuag ugain o bobl eistedd yn gysurus o'i amgylch. Cerddodd Nest yn syth at y tân.

Cyn tynnu'r blwch allan o'i mynwes, edrychodd o gwmpas yr ystafell, ond nid oedd neb i'w weld yn unman. Ni sylwodd fod y llenni melfed glas a oedd o gwmpas un o'r ffenestri ar y dde iddi wedi symud fel pe bai awel o wynt yn eu chwythu fel y tynnai'r rhestr allan o'r blwch a'i thaflu'n syth i'r tân.

'O'r diwedd!' meddai.

Ond y funud nesaf, gwelai law yn ymestyn heibio iddi ac yn cipio'r rhestr blygedig o ganol y tân cyn i fin y fflam gael prin amser i'w chyffwrdd.

Rhoddodd Nest waedd o ddychryn a throdd fel pe bai wedi ei thrywanu. Aeth ei chorff yn oer fel carreg, a'i hwyneb mor wyn â'r eira.

Gwelai ei thad yn sefyll wrth ei hochr a'r rhestr yn ei law.

Pennod 13

'Nhad!' meddai Nest o'r diwedd, a'r geiriau bron â'i thagu, 'O, 'Nhad, o lle daethoch chi? Doeddwn i ddim yn gwybod fod yma neb yn yr ystafell.'

'Nac oeddet, mi goelia,' meddai yntau'n sychlyd, 'neu mae'n debyg na fuaset wedi ceisio llosgi hwn, be' bynnag ydi o. Roeddet ti'n gwneud yn siŵr na welai neb mohonot ti. Ond os bydd o rywfaint o gysur i ti wybod, roeddwn i y tu ôl i'r llenni 'na yn edrych ar fachlud haul ar y môr. Be' sydd ar y papur 'ma, tybed, a pham y mae ar fy merch gymaint o awydd ei ddinistrio? Aros di, i mi gael gweld.'

''Nhad! O, 'Nhad!' erfyniodd Nest a'i gwefusau'n crynu. 'Wnewch chi ymddiried ynof, a pheidio â'i agor? Peidiwch â'i agor, 'Nhad! Er mwyn y nefoedd, rhowch o'n ôl i mi!'

Gwnaeth ymdrech sydyn i gael y rhestr o'i law, ond yr oedd ei gliniau mor grynedig a llipa fel y disgynnodd i lawr wrth droed ei thad. Edrychodd yntau arni'n syn.

''Nhad!' crefodd yn gynhyrfus. 'Rhowch o i mi! Fy eiddo i ydi o!'

'Na rof!' meddai yntau'n bendant. 'Be' sydd ar dy ben di, eneth! Does bosib, Nest, dy fod yn ymyrryd mewn materion gwleidyddol nad ydyn nhw'n perthyn dim iti! Aros di funud bach i mi gael gweld. Efallai y bydd y papur yma yn egluro pethau i mi.'

Teimlai Nest bron â gwallgofi wrth weld ei thad yn goleuo'r canhwyllau'n hamddenol, fesul un ac un. Ni wyddai beth i'w wneud nac i ble i droi. Tybed ai breuddwydio yr oedd o hyd? Ond na, yr oedd yn effro, a'r freuddwyd wedi dod yn wir mewn ffordd erchyll. Beth, beth a wnâi?

Agorodd Llywelyn ap Maelgwyn blygion y papur a rhyw hanner gwên ar ei enau. Ond yn sydyn, daeth fflach fel fflam dân i'w lygaid, a chiliodd y wên yn y fan.

'Y nefoedd fawr!' meddai, gan redeg ei lygaid dros y rhestr. 'Dyma fi wedi dod o hyd i enwau'r cynllwynwyr melltigedig oedd yn mynnu ail-gynnau'r fflam yn ein gwlad a dod â'r frenhiniaeth yn ôl. Duw a'n gwaredo! Pwy fuasai'n breuddwydio am rai o'r rhain! . . . Arglwydd Capel. Ie, wrth gwrs. Mae pawb yn gwybod amdano fo. A Chyrnol Mostyn. Mae pawb yn gwybod amdano yntau . . . Dyma Marcwis Worcester a'i fab, Arglwydd Herbert o Raglan, ac wrth gwrs, John Owen Clen-ennau. Wel, dydi o ddim yn syndod i neb weld enw'r dyn cyndyn, di-ildio yma, er y buasai rhywun yn meddwl fod hwn wedi cael mwy na digon ar ryfela ar ôl methiant Llandygái. Ond fel yna y mae hi. Saeson a Chymry aiê? Arglwydd Wilmot. Dyna oedd ei enw pan arwyddwyd hwn. Ond Iarll Roch-ester ydi enw'r cnaf ffroenuchel erbyn hyn. Mewn gwirionedd, mi ddylai fod wedi ei ddienyddio ers talwm, petai ond am helpu'r Tywysog Siarl i ddianc o'n gafael i Ffrainc . . . Syr John Grenville. Ie, dyma ddraenen bigog arall yn ystlys y Seneddwyr.

'Wel, mae dyddiau'r gwŷr tanbaid hyn wedi eu rhifo. Mae'r rhestr hon yn brawf diamheuol o'u bradwriaeth! . . . Ond pwy mewn difrif fuasai'n breuddwydio gweld enwau Oliver Lloyd a Rhys Cadwaladr yma! Y ddau yn Bresbyteriaid rhonc! A Syr Huw Morgan! Wel, wel!

'Am Syr Arthur Vaughan, dyma'r prawf sy'n mynd i roi terfyn am byth ar gynllwynion y gŵr penderfynol yma yn fy llaw y funud yma.'

Trodd yn sydyn at ei ferch.

'Rwyt ti wedi gwneud cymwynas na ŵyr neb ei gwerth â'r Seneddwyr, 'ngeneth i. Rydw i'n falch ohonot ti! Feddyliais i erioed y byddai'n syrthio i'm rhan i y fraint fawr o ddod ag aelodau'r cwlwm cêl, a'u cyfeillion helbulus, i'r ddalfa! Mae hyn yn mynd i roi pen unwaith ac am byth ar gynllwynion y Brenhinwyr anfad yma. Ond dwed mewn difrif, Nest, ym mhle y cefaist ti hyd i'r rhestr yma? Ac i beth, yn enw pob rheswm, yr oeddet ti'n ceisio ei difa?'

Syrthiodd Nest unwaith eto i lawr, ond y tro yma i benlinio o flaen ei thad.

''Nhad! 'Nhad!' erfyniodd gan blethu ei dwylo. 'Mae'r rhestr wedi syrthio i'ch dwylo trwy ddamwain, a fedra i byth gael munud hapus tra bydda i ar y ddaear pe bawn i yn gyfrifol am farwolaeth y dynion sydd â'u henwau arni. 'Nhad, rydw i'n erfyn ar fy ngliniau o'ch blaen, yn enw'r Nefoedd, ar i chi losgi'r rhestr, fel y bwriadwn i wneud.

'Nhad, O 'Nhad! Byddwch drugarog!'

Chwarddodd ei thad yn uchel.

'Cwyd, eneth,' meddai. 'Testun llawenydd sydd yn y fan yma. Cwyd Nest, cwyd! Rydw i'n falch ohonot ti! Fedra i ddim deall pam yr oeddet am ei llosgi. Dy galon dyner oedd yn peri i ti wneud, am nad wyt yn dymuno drwg i neb, hyd yn oed i elyn. Trugaredd i ti fy mod yn digwydd bod yn yr ystafell wrth dy benelin.'

Gwelodd Nest mai gwaith ofer fyddai crefu ac ymresymu ymhellach â'i thad. Nid oedd modd ei ddarbwyllo. Beth, ynteu, a fyddai orau i'w wneud?

''Nhad,' meddai'n sydyn, 'wnewch chi un gym-wynas â mi yn ei chylch? Peidiwch â'i dangos heddiw i Cyrnol Jenkins!'

'Dydw i ddim yn debyg o wneud hynny am y rheswm da fod y Cyrnol wedi ymadael o Nefyn ers oriau,' meddai yntau. 'Mi aeth oddi yma yn union deg wedi cael pryd o fwyd. Roedd ganddo daith bell o'i flaen. Rhaid i mi ofalu cadw'r rhestr werthfawr yma dan glo a chadwyn. Dydw i ddim am ei rhoi i neb ond yn nwylo'r awdurdodau eu hunain. Rhaid i tithau dy baratoi dy hun ar gyfer mynd i Fiwmares at dy fam. Fel y dywedais, fedra i ddim gadael cartref am wythnos gyfan, am resymau neilltuol. Ond ddechrau'r wythnos nesaf — dydd Llun, mae'n debyg — efallai y medra i fynd â'r rhestr 'ma i Syr Thomas Myddleton. Wedyn, mi ddof i Fiwmares ar fy ffordd yn ôl ac mi gei di a dy fam ddod adre efo mi. Ond dwyt ti ddim wedi dweud wrthyf eto ym mhle y cest ti'r papur pwysig.'

Gwelodd Nest fod yn rhaid iddi roi rhyw fath o eglurhad, er bod ei theimladau chwerw yn peri i'w chalon guro'n gynhyrfus.

'Dod o hyd iddo wrth chwilota am rywbeth yn y brif ystafell ddoe wnes i, 'Nhad.'

'Ble'r oedd o?' Yr oedd ei lygaid craff ar ei hwyneb o hyd.

'Roedd o y tu ôl i'r cwpwrdd bach yn y gornel,' meddai hithau. Credai y byddai ganddi ormod o waith egluro pe soniai am y guddfan ym mhost y gwely.

'O, Syr Arthur wedi ei guddio yno, ac wedi methu cael amser i'w ddifa cyn cael ei gymryd i'r ddalfa, mae'n siŵr i ti,' gorfoleddodd y tad.

'Ie, mae'n debyg,' cytunodd Nest yn benisel.

'Wel, mae un peth yn siŵr,' meddai Llywelyn, 'mae'r rhestr yma yn mynd i roi terfyn unwaith ac am byth ar y cynllwynwyr peryglus yma. Mi gânt yr un driniaeth â Chyrnol Sexby, y cnaf hwnnw a gynlluniodd i ladd ein Harweinydd, heddwch i'w lwch. Dyma'r prawf o'u hehofndra bradwrus yn fy llaw, ac wedi i'r rhain gael eu dienyddio, hwyrach y caiff y wlad ychydig o lonydd.'

Aeth Llywelyn ap Maelgwyn o'r ystafell gan adael Nest bron â gwallgofi gan ofid a braw. Beth, O beth fyddai orau iddi'i wneud?

Yn araf deg daeth rheswm yn ben, a gwelodd fod yn rhaid gwneud dau beth. Y peth cyntaf oedd rhybuddio Hywel o'r hyn oedd wedi digwydd, ac yna gwneud pob ymdrech bosibl i gael gafael ar y rhestr cyn i'w thad gael cyfle i'w rhoi i'r cadfridog, Syr Thomas Myddleton, a reolai'r chwe sir yng Ngogledd Cymru. Os na allai wneud hyn, gan ei bod yn gorfod mynd i Fiwmares, hwyrach y llwyddai Hywel. Gwyddai fod y rhestr yn sâff am wythnos, beth bynnag, oherwydd bod ei thad yn gorfod bod gartref.

Yr oedd Nest yn falch iawn o'r seibiant hwn. Yr oedd cyfrinach y cwlwm cêl yn ddiogel am ychydig amser, beth bynnag. Ychydig a freuddwydiai mai yr hyn a gadwai ei thad gartref oedd y ffaith fod Llywelyn ap Maelgwyn yn ceisio dal yr un yr oedd hi ei hun mor awyddus i'w arbed, sef tad Hywel.

Pennod 14

Nid oedd amser i'w golli. Yr oedd yr holl drefniadau ar gyfer y daith i Fiwmares wedi eu gwneud, a Gruffydd y gwas wedi ei ddewis i ofalu am Nest. Dyn talgryf, cyhyrog, a'i wallt wedi dechrau britho oedd Gruffydd. Yr oedd ei gartref yng Nghlynnog, heb fod nepell o Nefyn, ac yr oedd gan Llywelyn ap Maelgwyn feddwl mawr ohono. Er nad oedd wedi bod yn hir iawn yng ngwasanaeth y teulu, yr oedd, fel pob un arall o'r gweision a'r morynion, yn hanner addoli Nest, ac yn barod i wneud unrhyw beth er ei mwyn.

Er bod ei thad wedi bwriadu i Nest fynd oddi cartref ar unwaith, nid oedd hynny'n bosibl gan ei bod yn ddyddiau ffair Nefyn. Yr adeg yma, byddai cymaint o brysurdeb ynglŷn â phrynu a gwerthu'r ceffylau a'r gwartheg fel y byddai'n rhaid i Gruff-ydd, a oedd yn gyfrifol am y ceffylau, fod yn Nefyn yn ystod y ffair.

Y ffair oedd un o ddigwyddiadau mawr bywyd llafurus a digynnwrf y trigolion. Yr oedd yn amgylchiad pwysig i'r holl fro a'r cylch ers yr adeg y rhoddodd y Brenin Edward I fri ac anrhydedd ar y dref trwy gynnal ei fabolgampau a'i basiant yno i ddathlu ei fuddugoliaeth dros fyddin y Tywysog Llywelyn flynyddoedd lawer ynghynt.

Adeg y ffair, gwelid uchelwyr yn eu mentyll melfed a'r ymylon o ffwr drudfawr, a'u byclau aur, a'r plu cyrliog yn ymdorchi o gylch eu hetiau, yn cymryd rhan yn y chwaraeon a'r diota. Cymysgent â'r marsiandwyr, y crefftwyr, y prentisiaid a'r gweision, a phawb â'u holl fryd ar fwyta, yfed a bod yn llawen. Gellid gweld aml i uchelwr â mwgwd am ei wyneb, ac yr oedd yn amlwg bod hwnnw yn ŵr o fri yn y gymdogaeth, ac wedi dod i lawr i'r ffair i'w ddifyrru ei hun heb i neb ei adnabod. Chwifiai baneri o bob lliw a llun o'r llu stondinau a'r pebyll lliain, a safai gwŷr wedi eu gwisgo mewn dillad o liwiau'r enfys wrth ddrysau rhai o'r pebyll gan weiddi am y gorau ar draws ei gilydd i wahodd pobl i mewn.

'Ffordd yma i weld Moses y llyncwr tân!' bonllefai un.

'Ffordd yma i weld yr ymladdfa geiliogod!' llefai un arall.

'Dyma'r lle gorau am gystadleuaeth codymu! Dewch i mewn!' meddai gŵr cydnerth wrth y bechgyn cryf oedd yn gwau trwy'i gilydd.

Gerllaw, gwelid llu o ddawnswyr yn plethu'n gylchoedd trwy'i gilydd gydag ysgafnder a nwyfiant, a bloeddiai un o wŷr y pebyll ei wahoddiad iddynt.

'Dewch i mewn i glywed Mordi, astudiwr y sêr, yn dweud eich tynged! Ffordd yma, fechgyn! Ffordd yma, enethod!' A thrwy'r berw o sŵn a chrochlefain clywid bwm, bwm, bwm y drwm, a gwichiadau'r fiol a'r bib hesg, y naill yn ceisio boddi sŵn y llall.

82

Wrth ddrws un babell safai gŵr esgyrnog, creb-achlyd, a locsyn gwyn, llaes ganddo. Nid oedd hwn yn crochlefain fel y lleill, ond rhoddai ambell floedd pan âi'r merched bochgoch, a'u llanciau yn eu dilyn, heibio i'r babell. Yna, gwahoddai hwy i mewn at Euddaf, y swynwraig, i brynu swyn ac i glywed eu tynged.

'Gall Euddaf,' meddai, 'ddweud yr hyn a fu ac a fydd. Gall ddatguddio dirgelion, ac nid oes dim ynghudd rhaggdi. Gall un diferyn o'i ffiol ennyn serch yn y galon galetaf. Nid oes dim ar y ddaear na than y ddaear sydd yn ddirgelwch iddi. Nid oes dim ynghudd rhagddi. Os oes yna unrhyw beth y carech ei wybod, gall ei ddatguddio i chi.'

Yr oedd tyrfa wedi dod at y babell hon. Peth anghyffredin, hyd yn oed yn ffair Nefyn, oedd cael swynwraig a allai ddatguddio dirgelion, ac a feddai'r gallu i ennyn serch yng nghalonnau meibion a merched. Peth peryglus ydoedd hefyd, a gwyddai gŵr y babell hynny'n dda. Ond yr oedd yn dlawd, ac wedi treio pob dyfais a dichell arall i ennill tipyn, ac wedi methu. Felly yr oedd wedi dod ag Euddaf ei wraig yno, gan fod si ar led fod ganddi ysbryd dewiniaeth. Nid oedd ronyn o wir yn hynny, wrth gwrs, ond yr oedd wedi mynd i'r pen arno, ac nid oedd dim i'w wneud ond mentro, twyll neu beidio. Ymddiriedai yn nheimladau da'r dorf i beidio â gwneud terfysg na dwyn y peth i sylw'r awdurdodau, fel y gweneid mewn aml i le os credid fod a wnelo rhywun â galluoedd y tywyllwch.

Clywai Nest sŵn y miri o'i hystafell. Clywai'r canu, y chwerthin a'r bloeddio yn gymysg â bref-iadau'r anifeiliaid yn y rhan arall o'r maes.

Pan ddaeth un o'r morynion i mewn i'r ystafell gwelodd Nest ar wyneb yr eneth fod rhialtwch a sbleddach y ffair wedi ei chynhyrfu a'i gwefreiddio a bod arni eisiau brysio er mwyn cael ymuno â'r chwaraeon.

'O, Meistres Nest!' meddai'n gyffrous, 'wyddoch chi beth sydd yn y ffair heddiw? Gwraig yn dweud ffortiwn ac yn datguddio pethau cudd. Mae hi'n gwybod pob dim. Does dim dirgel rhagddi. Rydw i am fynd ati cyn gynted fyth ag yr af allan.'

'Does dim modd iddi wybod pob dim,' meddai Nest.

'Mae'n eithaf gwir, meistres,' meddai Siwsan y forwyn. 'Roedd tad Siencyn y Cwm wedi cuddio arian o dan lechen yr aelwyd, a phan aeth Siencyn i'r babell, dyna'r peth cynta ddeudodd y wraig wrtho. Ac yn wir, roeddynt yno bob dima, yn union fel y dywedodd. Fuo'r wraig yma erioed yn ffair Nefyn o'r blaen, meddan nhw. O, mae hi'n rhyfeddol!'

Yn sydyn, daeth fflach o olau a gobaith i galon Nest. Os oedd Siwsan yn dweud y gwir, oni allai'r swynwraig ddatguddio cuddfan y rhestr? Oni allai ddweud ble y cadwai Llywelyn hi? Yr oedd yn werth rhoi cynnig arni, beth bynnag. Yna gallai roi'r rhestr yng nghanol y tân yn ddiymdroi a bod yn barod i dderbyn cosb a cherydd ei thad pe deuai i wybod.

Rhoddodd ei chlog yn frysiog amdani, a mwgwd o felfed du am ei hwyneb er bod hyn yn groes i arferiad merched y Seneddwyr, oni bai eu bod weithiau yn digwydd mynd ar daith ac yn dymuno bod yn anhysbys.

Aeth allan o'r tŷ a cherddodd yn gyflym i gyf-eiriad y ffair. Yna ymgymysgodd â'r dyrfa hapus a oedd yn gwylio'r campau a'r rhedegfeydd, cyn mynd ymlaen, ymhen tipyn, i gyfeiriad y pebyll, nes cyrraedd yr un y soniodd Siwsan amdani.

Safai gŵr tal, gwarrog, wrth y drws, a thyrrai llu o ferched a bechgyn o'i gwmpas gan gilchwerthin yn swil a mynd i mewn fesul un ac un. Llithrent allan bron yn llechwraidd, a chuddiai'r genethod gwritgoch boteli bychain ym mhlygion eu gwis-goedd. Yr oedd yn dechrau tywyllu pan welodd Nest gyfle i lithro i mewn a sefyll o flaen y wraig a eisteddai ym mhen draw'r babell wedi ei gor-chuddio â phlygion o ddefnydd gwyrdd tenau. Yr oedd ganddi benwisg â chorun pig arni, a disgyn-nai rhwyd werdd o'r pig gan adael dim ond dau lygaid du treiddgar yn y golwg.

'Dewch ymlaen, meistres,' gwahoddodd. 'Mae neges bwysig wedi dod â chi yma, ac mae'n peri poen dirfawr ichi. Dewch ymlaen.'

Ufuddhaodd Nest braidd yn grynedig.

'Eithaf gwir,' meddai, 'ond yr hyn wnaeth i mi ddod yma oedd i ofyn eich help i ddod o hyd i bapur pwysig a ollyngais o'm gafael trwy ddamwain. Mae ym meddiant fy nhad, ac rydw i'n awyddus iawn i'w gael yn ôl. Fedrwch chi ddweud wrthyf ym mhle mae o?'

'Estynnwch eich llaw allan,' meddai'r wraig. Yna, dechreuodd fwnglian yn gyflym.

'Gwaith ffôl yw i enethod ymyrryd mewn mater-ion gwleidyddol. Wedi llosgi eich bys yn y ffordd yna yr ydych chithau. Ond nid arnoch chi y mae'r bai. Ond O, y perygl! Y perygl!'

'Ond beth am y papurau? Waeth gen i am ddim byd ond y papurau!' meddai Nest yn grynedig a diamynedd. 'Dywedwch ym mhle maen nhw wedi eu cadw!'

Ni chymerodd y wraig sylw o'i geiriau.

'Haws colli na chael,' meddai'n undonog. 'Rydych chi wedi colli papurau pwysig, ac nid ar chwarae bach y cewch chi nhw'n ôl.'

'Ond dywedwch ble maen nhw! Dyna sydd arnaf i eisiau ei wybod. Dywedwch ble mae 'Nhad wedi eu cadw!' ymbiliodd Nest, gan deimlo'n gynyddol annifyr. 'O, dywedwch ble maen nhw!'

Cyn i'r wraig allu ateb, dyma'r trwst mwyaf ofnadwy i'w glywed y tu allan i'r babell, a lleisiau croch yn bloeddio ar draws ei gilydd.

'Lle mae'r swynwraig? Lle mae'r rheibes? I'r llyn â hi! Ei throchi hi! Ei boddi hi! Allan â hi!'

Pennod 15

Siwsan, morwyn Nest, oedd wedi cychwyn yr holl helynt, er na wyddai hi hynny. Wedi gorffen ei gwaith, yr oedd wedi ymweld â'r swynwraig, a honno wedi ei rhybuddio rhag dyn tywyll ei wallt, ei wedd a'i galon. Yr oedd Siwsan wedi ei chredu, a chan mai Dic y gof oedd ei chariad ar y pryd, a hwnnw yn ddu bron bob amser, yr oedd wedi pen- derfynu rhoi'r gorau iddo cyn i niwed ddigwydd iddi.

Wedi derbyn dedfryd Siwsan, yr oedd Dic wedi mynd am y bragdy ar ei union am ddiod i foddi ei

boen. Yn y fan honno daeth ar draws llu o'i gyf-
eillion yn trin ac yn trafod y ffair ac yn torri eu
syched yr un pryd.

'Do,' meddai Sam y melinydd, 'fe'i gwelais i hi
â'm llygaid fy hun ac mi wn yn iawn mai rheibes
ydi hi. Rydw i wedi clywed si fod rhyw aflwydd ar
ddefaid a moch yr ardal 'ma, ac os ydi'r stori'n wir,
mae'n hawdd deall yr achos. Wedi eu rheibio y
maen nhw.'

'Roeddwn i'n eistedd yn llofft y pwythwr hwyliau
neithiwr,' meddai Rolant y rhaffwr, 'a'r stori
glywais i yn y fan honno oedd fod anifeiliaid Cae
Rhug yn crwydro y naill ar ôl y llall fel pe bai'r
bendro arnyn nhw, ac yn gwrthod pori. Mi glywais
stori ryfedd iawn hefyd am fuwch y Gadlys. Doedd
yna'r un fuwch debyg iddi am laeth da. Ond ddoe,
mi ataliwyd ei llaeth yn llwyr. Dyna brawf fod
rheibwraig yn ein mysg. Mae'n rheibio'r anif-
eiliaid druan.'

'Tewch â sôn am anifeiliaid,' meddai Dic yn
chwerw. 'Mae hi wedi rheibio Siwsan. Mi fu Siwsan
yn y babell yn gwrando ar ei lol ac mae rhyw
ysbryd gwenwynig wedi ei meddiannu ar ôl bod.
Tasach chi'n ei chlywed hi'n tafodi ac yn dweud y
pethau mwyaf ynfyd. Mi ddwedodd wrthyf yn
dalog fy mod i'n ddu fy nghorff a 'nghalon.'

'Yr argian fawr! Ddylem ni ddim goddef peth fel
hyn,' meddai Sam. 'Be' wnawn ni, gyfeillion?'

'Mi wnawn ni ein dyletswydd fel gwŷr parchus y
dref,' meddai Rolant. 'Rydym ni wedi cael prawf
eglur fod gwiddan beryglus yn y ffair, a'i bod wedi
gwenwyno ysbryd Siwsan Plas Bryn Mynach nes
peri iddi gefnu ar Dic druan a'i alw'n bob enw.
Dydi hi ddim yn sâff i ni ganiatáu rheibes yn ein

mysg, ac mae'r Ysgrythur yn ein rhybuddio i beidio â mynd ar ôl dewiniaid. Mi awn i'w throchi yn y llyn a'i hanfon oddi yma.'

'Ei boddi wyt ti'n feddwl, Rolant,' meddai Sam. 'Dewch yno ar unwaith, fechgyn!'

Rhuthrasant fel un gŵr allan o'r bragdy. Yr oedd y cwrw poeth a yfasant wedi eu fflamychu a'u gwneud yn anghyffredin o feiddgar a direol.

'Allan â hi! Dewch i gosbi'r rheibes! Mae'n rheibio'n hardal ni!'

Wrth eu gweld yn rhedeg a'u clywed yn bloeddio, ymunodd bechgyn penboeth y ffair yn y sbri, nes cyrraedd pabell y swynwraig yn un fyddin gref. Pan welodd y gŵr tal, crebachlyd hwy yn rhuthro i'w gyfeiriad, sylweddolodd y perygl, a ffodd am ei fywyd er mwyn arbed ei groen ac enillion y dydd, gan adael ei wraig druan i gymryd ei siawns.

Safai Nest fel darn o farmor ar lawr y babell. Yr oedd hithau hefyd wedi deall y sefyllfa ar unwaith a'i hadwaith cyntaf hithau oedd ffoi am ei bywyd o'r fath le. Na, ni allai merch Llywelyn ap Maelgwyn byth adael neb a oedd yn ddiamddiffyn ac mewn trybini, pwy bynnag ydoedd. Safodd Nest yno gan afael yn dynn ym mraich y swynwraig a oedd wedi disgyn ar ei gliniau ac ymron â llewygu.

Taflwyd y babell i lawr heb drafferth, a rhuth-rodd y bechgyn i mewn yn ddilywodraeth gan geisio llusgo'r swynwraig allan. Gafaelodd rhai ohonynt yn Nest, gan grochlefain,

'Mae yma ddwy ohonyn nhw! Na, un wedi dod i mewn i glywed ei thynged ydi hon. Tynnwch y mwgwd! Mae hon yn eneth dlos! Chaiff hon ddim gwaeth cosb na chusanau!'

Tynnwyd y gorchudd melfed du oddi ar wyneb Nest, a'r cwfl oddi am ei phen gan beri i'w gwallt ddisgyn yn doreth modrwyog dros ei hysgwyddau. Ond cyn iddynt wneud dim pellach, rhuthrodd bachgen tal i'r canol.

'Gollyngwch y merched yna ar unwaith!' gorchmynnodd.

Nid oedd prin wedi codi ei lais, a safodd y gwŷr a'r bechgyn nwydwyllt am ennyd gan syllu mewn mudandod ar y fantell felfed o liw'r gwin, y lasiau Mechlin o gwmpas ei wddf a'i arddyrnau, y botasau a'r sbardunau arian arnynt, a'r corff hoyw, lluniaidd a safai yng ngolau'r ffagl bitspein a gariai Rolant y rhaffwr. Am funud tawelwyd hwy ac aethant yn fud, oherwydd gwyddent eu bod ym mhresenoldeb uchelwr. Ond y funud nesaf, aeth eu nwydau yn drech na dim.

'Allan o'r ffordd, Frenhinwr!' gwaeddodd Dic y gof. 'Ni pia'r dydd heddiw! Does yna ddim lle yn y fan hyn i wŷr bonheddig! Cod y ffagl, Rolant! Llusgwch y wits allan! Does neb yn mynd i ymyrryd yn y busnes yma, ond y ni!'

Tynnodd y Brenhinwr ifanc gleddyf bychan, blaenllym allan o'r wain arian a grogai wrth ei wregys.

'Bydd y cyntaf i gyffwrdd yn y wraig yna, neu yn y foneddiges sydd gyda hi, yn cyffwrdd min y cleddyf yma,' meddai mewn llais tawel, ond pendant.

Yr oedd llaw Rolant y rhaffwr ar ysgwydd y swynwraig ar y pryd, ond tynnodd hi'n ôl yn gyflym. Nid oedd arno eisiau bod y cyntaf i ddod i gyffyrddiad â chledd miniog y dieithryn. Un peth oedd llusgo rheibes i'r afon, peth arall oedd delio â chledd blaenllym yn llaw un oedd yn gwybod sut i'w drin!

Ciliodd y gwŷr oddi yno fesul un ac un, gan fwmian a chwythu bygythion. Safodd y bachgen â'i gledd yn ei law nes i'r olaf ddiflannu. Yna, trodd at y swynwraig a rhoddodd ddarn o arian yn ei llaw.

'Mae'n debyg fod arnoch ei angen,' meddai, 'neu ni fuasech byth yn mentro gwneud peth fel yna yn ffair Nefyn. Ewch oddi yma gynta medrwch chi, cyn i'r bechgyn 'na ddod yn ôl, a pheidiwch â mentro gwneud peth mor ffôl eto, hyd yn oed os oes gennych allu'r tywyllwch.'

Ymgrymodd y swynwraig o'i flaen yn ei dagrau, a cheisiodd ddweud rhywbeth. Ond ni allai, a diflannodd i'r tywyllwch.

Yna trodd y Brenhinwr at Nest. Ond cyn iddo gael cyfle i ddweud dim, clywent sŵn banllefau'r gwŷr yn agosáu drachefn, a gwelent olau'r llusernau yn chwifio o gwmpas.

'Ewch, Nest, ewch!' meddai'r Brenhinwr yn frysiog. 'Wnes i ddim breuddwydio y buaswn i'n eich gweld chi mewn lle fel hyn. Ewch ar unwaith!'

'O, Hywel! Rydych chi mewn perygl! Clywch sŵn eu harfau! Mae ganddyn nhw grymanau a cheibiau a phob math o bethau, rwy'n siŵr!' Teimlai bron â disgyn i'r ddaear gan gywilydd am iddo ei gweld yn y fath le.

'Peidiwch â phoeni na phryderu,' atebodd yntau braidd yn oeraidd. 'Mi allaf ddal fy nhir yn hwylus yn erbyn y rhain. Ewch heb oedi.'

Ufuddhaodd Nest a'i chalon fel carreg o'i mewn wrth feddwl mai unig ffrwyth yr ymweliad ffôl yma oedd disgyn mor isel ag oedd bosibl yng ngolwg Hywel. Beth mewn difrif a feddyliai ohoni? Yr oedd wedi ei darganfod ym mhabell swynwraig, lle y tyrrai gwehilion anwybodus. Yn waeth na hynny, byddai'n rhaid iddi gyfaddef wrtho'n ddi- oed, er mor anodd fyddai gwneud hynny, ei bod wedi colli'r papurau y dibynnai bywyd ei dad arnynt. Byddai yn ei ffieiddio!

Nid oedd calon yr un eneth yn y dref mor drom â chalon Nest y noson honno. Fe fyddai'n wylo pe gallai, oherwydd teimlai y câi ryddhad i'w theim- ladau wrth wneud hynny. Ond yr oedd ei gofid yn rhy ddwfn i ddagrau.

Pennod 16

Ymddangosai'r nos yn hir i Nest. Ni allodd gau ei llygaid na gorffwys eiliad, ac yr oedd wedi codi ymhell cyn toriad gwawr i fynd i Garreg Llam i ddweud wrth Hywel beth oedd wedi digwydd.

Nid oedd modd cychwyn yn fore, fodd bynnag, gan fod ei thad yn y tŷ, â'i lygaid arni. Ond yn gynnar yn y prynhawn, daeth ei chyfle. Aeth ei thad allan i hela, a phan glywodd Nest gyfarth y cŵn ym mherfeddion y Gaerdderwest ac yna yn ymgolli yn y pellteroedd, mentrodd gychwyn ar ei thaith.

'Wn i ddim sut y medra i ddweud wrtho,' meddai wrthi ei hun yn bryderus. Cofiai yr ing a oedd yn ei lygaid tywyll yn y breuddwyd, ac aeth ias o ddych- ryn drwyddi wrth feddwl mai hi oedd yn gyfrifol am y gofid.

Rhywfodd, methai yn lân â deall pam yr oedd y syniad o frifo ac o ddigio Hywel yn peri cymaint o boen iddi, cymaint yn wir fel y bu'n agos iddi droi'n ôl. Ond gwyddai mai ei dyletswydd oedd mynd ymlaen.

Cerddodd yn gyflym heibio i eglwys Pistyll ac ar hyd y llwybr llithrig a wnaed yn gyfan gwbl gan y defaid a'r geifr gwyllt a borai hyd y llechweddau. Wrth groesi copa'r graig, daeth yr adeg y bu bron iddi â boddi yn fyw i'w meddwl. Yr oedd llawer o bethau cyffrous wedi digwydd yn ei hanes yn yr ychydig amser ers y digwyddiad hwnnw!

Cerddodd dros y clogwyn, a'r gwylanod yn ehedeg o'i chwmpas ac yn merwino ei chlustiau â'u hoernadau. Wedi croesi'r pentir, trôi'r llwybr yn sydyn tuag i waered i ganol gwinllan gnau gaeadfrig yng nghesail yr allt. Gorchuddiai'r allt bron i'w sawdl, ac er mai'r winllan gnau y gelwid hi, tyfai'r derw, yr ynn, y siacen a'r pîn yma bron i'r tywod. Yma, yng nghanol y drysni i gyd, llechai'r bwthyn lle trigai Hywel. Ofnai Nest guro ar y drws gan ei bod yn cofio'r derbyniad oeraidd a gafodd gan fam Hywel y tro o'r blaen y bu yno. Nid oedd neb i'w weld yn unman, na dim i'w glywed ond trydar adar, a barnodd Nest mai ymguddio am ychydig a fyddai orau i weld a ddeuai Hywel i'r golwg.

Yr oedd gardd fechan o flaen y tŷ, a'i ffiniau o ddrain gwynion wedi eu gorchuddio â gwyddfid yn ymglymu'n driphlith draphlith. Safodd Nest yng nghanol y mangoed y tu ôl i'r gwrych gan graffu trwy'r drain, a thybiodd ei bod yn clywed sŵn mân briciau'r goedwig yn clecian dan droed rhywun y tu ôl iddi. Trodd ar unwaith gan feddwl y gallai Hywel fod yno, a chafodd gip ar gefn llydan rhywun yn diflannu'n llechwraidd i'r goedwig. Ond nid cefn Hywel oedd hwn. Credai iddi weld het gorun uchel a phluen gyrliog a gwyddai yn y fan fod rhywun heblaw hi yn gwylio'r bwthyn y prynhawn hwnnw. Pwy ydoedd, tybed?

Meddyliodd am ddilyn y dyn a ddiflannodd mor swta i'r coed. Ond ailfeddyliodd. Ni fyddai o ddiben yn y byd iddi ei ddilyn gan na wyddai pwy ydoedd, beth oedd ei neges, na pha mor bell y byddai'n rhaid iddi fynd.

Tra oedd yn pendroni fel hyn, gwelodd ddrws y bwthyn yn agor, ac wrth sbio rhwng y drain a'r gwyddfid, gwelodd Hywel ei hun yn dod allan ac yn croesi'r ardd fechan i'w chyfeiriad.

Nesaodd ati, ac yr oedd bron â chyffwrdd ynddi cyn sylwi ei bod yno. Dychrynodd drwyddo o'i gweld.

'Nest!' meddai. 'Nest! Oes 'na rywbeth wedi digwydd? Y papurau! Ydi'r papurau'n sâff?'

'Dyna ddaeth â fi yma,' meddai hithau, a'r geiriau bron â'i thagu. 'Mae'r papurau gan fy nhad!' Ac adroddodd wrtho y cwbl a ddigwyddodd.

Gwelai ei wefusau'n tynhau, a phryder a braw yn llenwi ei lygaid fel yr âi ymlaen. Mynnai'r dagrau ddod i'w llygaid hithau er ei gwaethaf. Nid arbedodd ei hun mewn unrhyw ffordd yn y byd, a phan ddaeth at hanes y ffair a'i neges gyda'r swynwraig, daeth gwên i lechu am y tro cyntaf yng nghil gwefusau Hywel.

'Nid arnoch chi'r oedd y bai, Nest,' meddai o'r diwedd. 'Peidiwch â phoeni, mi fyddaf yn sicr o'u cael. Arhoswch funud, rydw i'n meddwl am gynllun y funud 'ma. Os na ellwch chi eu cael, mi fydda i yn siŵr o lwyddo, os caf eich caniatâd i wneud yr hyn a ddaeth i'm meddwl.'

'Cewch, wrth gwrs,' meddai hithau'n ddibetrus, heb fod ganddi'r syniad lleiaf beth oedd ei gynllun. 'Ond sut medrwch chi?'

'Rydych chi newydd ddweud mai dechrau'r wythnos nesaf y bwriada'ch tad fynd â'r papurau i Myddleton, ac mi fydd yn croesi'r Eifl 'ma ar ei ffordd i Gaernarfon. Mae'n debyg mai ei hun y bydd o yn teithio, gan nad oes neb yn amau fod ganddo ddim o bwys yn ei feddiant, ar wahân i'r hyn fydd gan bob dyn pan fydd yn mynd ar daith. Wel, pan fydd eich tad ym mwlch yr Eifl, mewn man anial, mi ddaw un o ysbeilwyr y ffordd fawr ar ei warthaf. Mi fydd yn marchogaeth ar farch cyflym, ac wrth gwrs, mi fydd yn arfog ac fe wna i Lywelyn ap Maelgwyn ildio'r hyn sydd ganddo iddo. Ni wneir unrhyw niwed yn y byd iddo, wrth gwrs, ar fy llw, ac mi gaiff bopeth yn ôl gan yr ysbeiliwr ond y papurau. Ydych chi'n fodlon, Nest?'

'Ydwyf,' meddai hithau. 'Chi, wrth gwrs, fydd yr ysbeiliwr. Ond cofiwch un peth. Mi fydd fy nhad yn arfog hefyd, ac mae'n eithaf posibl y bydd yn amddiffyn y papurau â'i fywyd. Mi ŵyr sut i drin y cledd a'r pistol, a fydd arno ddim ofn eu defnyddio pan fydd angen. Rhyfelwr ydi 'Nhad, cofiwch. Mi ellwch gael eich lladd.'

'Mi gymeraf fy siawns am hynny,' meddai yntau. 'Mae un peth yn siŵr, Nest. Chaiff fy nghledd i byth ei ddefnyddio i niweidio eich tad. Ond rydw i'n hyderus y llwyddaf i gael y rhestr yn ôl trwy ddod ar ei warthaf yn ddiarwybod iddo. Mae'n dibynnu'n hollol pwy all anelu'r pistol gyntaf. Ydych chi'n gwybod pa ddiwrnod y bydd eich tad yn mynd?'

'Ddydd Llun, rydw i'n meddwl,' meddai hithau, â'i theimladau yn gymysgedd o obaith a phryder. 'Mi fydd yn cychwyn ben bore. Mi fydd gartre trwy'r wythnos yma. Mae rhyw amgylchiad yn ei gadw. Mi fuaswn yn gadael i chi wybod yn fwy manwl pe bawn gartre fy hun. Ond rydw i'n mynd i ffwrdd at Mam i Fiwmares.'

'Mynd i Fiwmares!' meddai Hywel yn siomedig. 'Fyddwch chi yno'n hir?'

'Wn i ddim yn iawn. Mae hynny'n dibynnu ar fy nhad. Ond rhaid i mi fynd adre yn ôl, rŵan. Rydw i'n teimlo rywsut y buasai'n dda gen i tasach chi wedi fy meio a'm ceryddu. Dyna ydw i'n ei haeddu, ac mae'r ffordd yr ydych chi wedi bod mor garedig hefo mi yn gwneud i mi deimlo'n waeth o lawer iawn.'

Nid atebodd Hywel. Yr oedd yn gwrando'n astud ar rywbeth. Meddyliodd Nest hefyd ei bod yn clywed siffrwd yn y coed, a throdd i edrych. Ond nid oedd neb yn y golwg yn unman.

'Rhaid i chi ddod i weld Mam,' meddai Hywel. 'Rydw i wedi sôn cymaint amdanoch wrthi fel ei bod yn awyddus i ddod i'ch adnabod yn well.'

'Na, mi fyddai'n well i mi fynd adre,' meddai Nest, gan gofio am y derbyniad oeraidd a gafodd gan fam Hywel y tro diwethaf y bu yno.

Deallodd Hywel ei phetruster.

'Mae pethau'n bur wahanol erbyn hyn, Nest,' meddai. 'Roedd yn rhaid i ni fod yn amheus o bob estron a ddeuai ar draws ein bwthyn, a phan ddeallodd Mam mai merch Llywelyn ap Maelgwyn oeddych, mi ddychrynodd eich bod chi, o bawb, wedi dod o hyd i'n cuddfan. Ond rydych chi'n gwybod popeth amdanom, erbyn hyn, ac wedi profi

eich hun yn ffrind. Na, rhaid i chi ddod i mewn at
Mam. Ond waeth heb â sôn am y papurau rhag
gwneud ei phoen yn fwy nag ydi o'n barod.'

Ufuddhaodd Nest, a chafodd dderbyniad gwresog
gan y Fonesig, derbyniad pur wahanol i'r hyn a
gawsai y tro o'r blaen.

'Mae fy mab wedi siarad cymaint yn eich cylch!
Does dim yn rhwystro i ni fod yn ffrindia, er eich
bod chi yn perthyn i'r blaid sydd â'r gallu a'r
awenau yn ei dwylo a ninnau, ar hyn o bryd beth
bynnag, dan gwmwl,' meddai. 'Ond gadewch imi
geisio diolch i chi am yr hyn rydych chi wedi ei
wneud inni.'

Gwridodd Nest wrth feddwl cyn lleied a wnaeth-
ai. Ond pan oedd ar fin ateb, neidiodd Hywel ar ei
draed yn sydyn, gan daro ei law ar y cledd bychan
a hongiai wrth ei wregys.

'Ust!' meddai. 'Mae rhywun yn curo wrth y
drws!'

Aeth wyneb y Fonesig cyn wynned â'r eira, a
gwrandawodd y tri yn astud.

Ymhen ychydig o eiliadau, dyma guro ysgafn
wrth y drws wedyn, a rhywun yn ceisio codi'r
glicied.

Pennod 17

Camodd Hywel at y drws.

'Pwy sydd yna?' gofynnodd.

'Agor, Hywel. Fi sydd yma. Dy dad,' meddai llais
gochelgar o'r tu allan.

Mewn eiliad yr oedd y drws yn agored.

''Nhad!' meddai Hywel yn llawen. 'O 'Nhad!'

'Taw,' meddai'r llais. 'Bydd ddistaw, a chlo'r drws ar fy ôl.'

Cerddodd dyn tal, cefnsyth, a'i wallt crych, llaes yn frith, i mewn i'r ystafell. Y funud nesaf, yr oedd y Fonesig Vaughan wedi syrthio i lewyg ym mreichiau ei gŵr.

Rhuthrodd Hywel a Nest atynt.

'Helpa fi i'w chario draw i'r fan yna, Hywel,' meddai Syr Arthur. 'Mi ddaw ati ei hun mewn ychydig.'

Gosododd y ddau hi i orwedd yn dyner ar fainc lydan gerllaw.

'Dŵr,' meddai Nest â'i llygaid ar wyneb gwelw y Fonesig, lle yr oedd arwyddion eisoes ei bod yn dechrau dadebru. 'Wnewch chi nôl diod o ddŵr iddi?'

Daeth Hywel yn ei ôl â'r cwpan yn ei law, ac yn araf, agorodd ei fam ei llygaid. Daliodd Nest y cwpan wrth y gwefusau llwydion ac yfodd hithau ddiferyn neu ddau ohono.

Ymhen ychydig edrychodd y Fonesig o'i chwmpas. 'Mi fydda i'n iawn rŵan,' meddai. 'Wnaeth llawen-ydd ddim lladd neb erioed. O, Arthur! Arthur! Fedra i ddim credu eich bod chi yma! Mor braf fydd cael bod gyda'n gilydd ar ôl yr holl helyntion. Mor hapus fyddwn ni! Sut cawsoch chi ddod yn rhydd?'

'Waeth i mi ddweud yn fuan mwy nag yn hwyr, ddim,' meddai yntau, 'wedi dianc yr ydw i. Rhaid i mi chwilio am le i guddio cyn iddyn nhw ddod ar fy ngwarthaf.'

Yna, trodd yn sydyn, fel pe bai'n sylweddoli am y tro cyntaf fod Nest yn yr ystafell. Sylwodd yr eneth fod ganddo lygaid duon treiddgar, yn union fel Hywel, ond yr oedd dioddefaint wedi cerfio rhychau dyfnion hyd ei wyneb golygus.

'Ond rydw i'n gweld fod gennych gwmni,' meddai gan syllu arni. 'Chefais i mo'r pleser o'ch cyfarfod o'r blaen.'

Bu distawrwydd poenus am ennyd. Yna rhedodd Nest ato.

'Syr Arthur!' meddai'n foesgar, 'Er nad ydych yn fy 'nabod, coeliwch fi, mi wnaf bopeth yn fy ngallu i sicrhau eich diogelwch.'

'Ie, ond pwy ydych chi?' holodd yntau mewn penbleth.

'Merch i Seneddwr,' meddai hithau'n glir a phwyllog. 'Ond mae gen i ddyled fawr i'w thalu i'ch mab. Mi achubodd fy mywyd rhag boddi. Mi faswai'n well gen i farw na'ch bradychu, Syr Arthur.'

Daeth Mabli i mewn o rywle, a mawr oedd ei llawenydd pan welodd pwy oedd yr ymwelydd. Yr oedd bwyd ar y bwrdd mewn amrantiad, a Syr Arthur Vaughan yn prysur dorri'r newyn oedd arno tra adroddai wrthynt hanes ei ddihangfa a'r anhawster mawr a gafodd i gyrraedd y bwthyn yn ddiogel.

'Yr oedd gen i gyfeillion y tu allan i'r carchar,' meddai, 'ac iddyn nhw y mae'r diolch fy mod i wedi gallu dianc. Nhw hefyd ddywedodd wrthyf eich bod wedi gorfod gadael Plas Bryn Mynach er mwyn i ryw Seneddwr ei gael.'

'Sut y daethoch chi i wybod mai yma ym mwthyn Carreg Llam yr oeddym yn byw, 'Nhad?' holodd Hywel. 'Doedd dim modd i'ch cyfeillion wybod am ein cuddfan yn y fan yma.'

'Na, rhoi fy rheswm ar waith wnes i, Hywel,' meddai yntau. 'Mi wyddwn yn iawn mai yma y ganed ac y maged Mabli, a bod y bwthyn, er yn wag ers amser maith, yn perthyn iddi o hyd. Mi wyddwn hefyd nad aet ti na dy fam byth ymhell o Nefyn a minnau yn y carchar, rhag ofn i mi ddigwydd dod yn ôl. Ac roeddwn i'n gwybod y byddai Mabli efo chi trwy ddŵr a thân. Felly, roeddwn i'n teimlo bron yn sicr yn fy meddwl mai yma yr oeddych chi. Pan ddois i yma, mi welais fod rhywun yn byw yma, ac wrth wylio yn y coed, mi welwn eneth ddiarth yn sefyll wrth y gwrych. Roeddwn i'n meddwl fy mod wedi camgymryd wedi'r cyfan, a bod rhywun diarth yn byw yma.'

'Fi oedd yn sefyll wrth y gwrych,' meddai Nest. 'Rhyfedd, yntê, eich bod chi a minnau yn gwylio'r tŷ yr un adeg! Mi glywais siffrwd yn y dail, ac roeddwn i wedi meddwl dweud wrth Hywel. Ond yn wir, chefais i ddim cyfle.'

'Mi fu'n agos i mi droi oddi yma pan welais i chi,' meddai Syr Arthur, 'ond mi arhosais am ychydig, ac mi ellwch ddychmygu fy llawenydd pan welais Hywel yn dod allan o'r tŷ.'

''Nhad!' meddai Hywel, a oedd yn fyw iawn i'r perygl yr oedd ei dad ynddo. 'Rhaid i ni feddwl ar unwaith am le diogel i chi ymguddio. Rydym yn llawer rhy agos i Nefyn yn y fan yma, ac mi fyddant yn cribo'r cwmpasoedd amdanoch. A phwy a ŵyr na ddônt o hyd i'n cuddfan yn y fan yma.'

Cofiodd yn sydyn am y dilynwr a adawyd mewn penbleth ganddo ar benrhyn Porth Dinllaen. Yr oedd hwnnw yn chwilio amdano. Na, yr oeddynt ymhell o fod yn ddiogel ym mwthyn Mabli.

'Pa bawn i'n medru mynd drosodd i Sir Fôn, mi fuaswn yn sâff,' meddai Syr Arthur, 'ond mae hynny'n amhosibl, wrth gwrs. Rydw i'n adnabod gŵr yng Nghaergybi a fu'n Seneddwr pybyr yn ystod y rhyfel, ond sydd erbyn hyn wedi troi, ac wedi newid ei farn yn hollol ar ôl y dienyddiad. Ei enw ydi Owain Sheffri, ac mae ganddo long sydd yn hwylio i Iwerddon ar y pumed ar hugain o'r mis yma. Gwn yn iawn y cawn groesi efo fo. Unwaith y cawn groesi i Iwerddon, buan iawn y cawn gyfle wedyn i groesi i'r Iseldiroedd at y Tywysog Siarl. Mae o yn Breda ar hyn o bryd. Ond beth ydw i haws â siarad! Mae'r peth yn amhosibl!'

'Lle mae'r anhawster?' holodd y Fonesig yn eiddgar. Yr oedd ei phryder a'i hofn yn cynyddu bob munud. 'Fedrech chi ddim mynd yn syth o Gaer i Gaergybi mor hawdd â dod yma, Arthur?'

'O na,' oedd ateb ei gŵr. 'Rhaid i chi gofio am afon Menai a'r tollty. Does neb yn cael croesi i Foel y Don nac i Aber Menai heb fod swyddogion y Seneddwyr yn gwybod pwy a beth ydyn nhw. Mae gwŷr y doll yn llygadog iawn ac mi fydd holi manwl ar bob un a rydd ei droed ar y cychod sy'n croesi am Ynys Môn. Mae Caergybi yn borthladd mor gyfleus i dir Iwerddon, ac mae gennym ni'r Brenhinwyr gymaint o gyfeillion yno, yn enwedig ar ôl y driniaeth a gafodd y Gwyddelod gan Cromwell ac Ireton.'

Daeth cwmwl o bryder dros wyneb y Fonesig, ac edrychai Hywel yn synfyfyriol i ganol y tân mawn a'i feddwl yn gwibio yma a thraw gan geisio dod o hyd i ffordd o ymwared.

'Pe bawn i'n medru croesi Menai, mi fuasai popeth yn iawn,' meddai Syr Arthur drachefn gan ddal i syllu ar drawstiau myglyd y gegin. 'O na chawn i fynd drosodd i Ynys Môn!'

Yn sydyn, neidiodd Nest ar ei thraed.

'Syr Arthur!' meddai'n frwd, 'Mi allaf i eich cael chi dros y Fenai yn ddiogel! Mi gewch fynd at eich cyfeillion yng Nghaergybi heb i neb eich 'nabod!'

Edrychodd pawb arni'n syn.

'Chi, Nest?' meddai Hywel, braidd yn amheus. 'Sut ar y ddaear y medrwch chi wneud hyn?'

Edrychodd Nest ym myw ei lygaid am funud, fel pe bai'n ymbil ag ef i ymddiried ynddi y tro hwn, er iddi fethu gyda'r papurau.

'Fel hyn,' meddai. 'Mae Mam ar hyn o bryd gyda'm modryb yng Nghastell Biwmares. Mae 'Nhad yn bwriadu fy anfon yno fory i aros am ychydig. Mae'r trefniadau i gyd wedi eu gwneud ac mae Gruffydd y gwas i ddod i'm danfon dros y Fenai. Yn ochr Môn, mi fydd gweision fy modryb yn fy nghyfarfod gyda'r ceffylau, ac mi fydd Gruff- ydd yn croesi'n ôl i fynd â'n ceffylau ninnau adre o stablau'r fferi, lle byddwn wedi eu gadael cyn croesi drosodd. Wel, dyma fy nghynllun. Mi gewch chi, Syr Arthur, fod yn was i mi yn lle Gruffydd, a dod efo mi dros y Fenai. Ar ôl cyrraedd Ynys Môn, mi gewch fynd eich ffordd eich hun wedyn am Gaergybi!'

Daeth trem o obaith yn ôl i lygaid y Fonesig wrth wrando ar Nest.

'Unwaith y caf fy nhroed ar dir Môn, mi fyddaf yn sicr o ffeindio fy ffordd i Gaergybi, fel y ffeindiais fy ffordd yma,' meddai Syr Arthur. 'Ond be' am fy ngwisg? Mae pawb yn gwybod mai Brenhinwr ydw i!'

'Hawdd iawn fydd trefnu hynny,' oedd ateb parod Nest. 'Rydw i'n gwybod yn iawn y gwna Gruffydd bopeth a ofynnaf iddo. Mi wn y gallaf ymddiried ynddo a'i berswadio i roi benthyg ei wisg i chi, Syr Arthur. Mi gaiff Gruffydd a minnau gychwyn o Nefyn yn ôl y trefniant a theithio hyd at gartref Gruffydd yng Nghlynnog. Rhaid i chi, syr, fod yng nghyffiniau coedwig Clynnog tua hanner dydd yfory. Yna, mi awn ein tri i gartref Gruffydd ac mi gewch newid eich dillad yn y fan honno a rhoi gwisg Seneddwr amdanoch. Yna, mi gewch ddod efo mi yn lle Gruffydd a fydd yna ddim anhawster yn y byd eich cael dros y Fenai.'

'Dydi hi ddim yn deg i chi beryglu eich hun er fy mwyn i,' meddai Syr Arthur yn betrus. 'Dydw i ddim yn dawel fy meddwl o gwbl. Ond yn wir, mae bywyd ar hyn o bryd yn werthfawr yn fy ngolwg, yn fwy felly nag erioed o'r blaen.'

'Beth am y ceffylau, Nest?' gofynnodd Hywel, nad oedd wedi yngan gair hyd yn hyn.

'Ie, rhaid meddwl am bopeth,' meddai hithau. 'Mi gaiff Gruffydd fynd o'i gartref i nôl y ceffylau i ystablau Moel y Don yn ochr y Felinheli, a dod â nhw adre'n ôl fel pe bai'n dychwelyd o'r siwrnai ar ôl bod yn fy nanfon drosodd. Does yna ddim an-hawster yn y byd ynglŷn â'r cynllun.'

'Arhoswch funud,' meddai Syr Arthur. 'Dydw i ddim eto wedi cael gwybod eich enw, na phwy ydych. Mi wn eich bod yn ferch i Seneddwr o fri, a dyna'r cwbl.'

Petrusodd Nest am ychydig cyn ateb.

'Enw fy nhad ydi Llywelyn ap Maelgwyn,' medd-ai'n ddistaw. 'Ni sydd yn byw yn eich cartref chi, syr, ym Mhlas Bryn Mynach.'

Rhyfeddodd Syr Arthur o glywed y fath beth, a daeth ton o wrid i'w wyneb. Edrychodd ar ei fab am eglurhad, ond yr oedd Hywel wedi symud i gyfeiriad y ffenestr, ac yn syllu allan i'r goedwig. Bu am ychydig heb ddweud gair.

'Mae'n stori rhy faith i'w dweud heno, 'Nhad,' meddai'n dawel, toc, heb gymaint â throi ei ben. 'Mi gewch ei chlywed yn fanwl rhyw ddiwrnod. Mae cryn lawer o ddigwyddiadau rhyfedd wedi arwain i'r cyfeillgarwch sydd rhwng Nest a minnau. Ond mi ddywedaf un peth yn gadarn ac yn groyw. Mi fuaswn yn fodlon ymddiried fy mywyd i Nest a gallwch chithau wneud yr un peth, syr.'

Daeth dagrau i lygaid Nest wrth glywed Hywel yn siarad fel hyn a hithau wedi methu arbed y papurau. Gwnaeth lw distaw y mynnai achub Syr Arthur neu farw yn yr ymdrech.

Cododd y Fonesig, a chusanodd Nest.

'Duw a'ch bendithio, 'merch i,' meddai, 'ac a dalo i chi am yr hyn yr ydych yn ei wneud i mi a'm heiddo yn nydd drygioni.'

Pennod 18

Y noson honno, aeth Nest i'r gegin i geisio cael gafael ar Gruffydd. Yr oedd y gwas newydd orffen ei waith gyda'r ceffylau ac yn eistedd wrth y bwrdd i aros am ei swper. Daeth un o'r morynion â darn o gig carw gyda thalp mawr o fara rhyg iddo ar blât, a gosododd gostrel o fethyglyn o'i flaen.

Eisteddodd Nest gerllaw, gan aros i'r eneth adael y gegin cyn dechrau dweud ei neges. Geneth

ddieithr oedd hon, wedi ei chyflogi dros dro yn lle
un o'r morynion rheolaidd oedd yn digwydd bod yn
wael, ac edrychai'n amheus ar y feistres yn dod i'r
gegin i sgwrsio â'r gwas. Ond ymhen tipyn, aeth
allan o'r gegin a dechreuodd Nest ar ei stori.

Nid gwaith anodd oedd perswadio Gruffydd i
gytuno â'r cynllun. Yr oedd ganddo le cynnes yn ei
galon i Syr Arthur Vaughan fel meistr caredig, er
eu bod wedi ymwahanu i bleidio achosion gwahanol
yn y Rhyfel Cartref. Yn wir, yr oedd yn dda ganddo
gael y cyfle i wneud y gymwynas yma ag ef er
mwyn achub ei fywyd. Ar hyn o bryd, nid oedd
Gruffydd, fel llawer Seneddwr arall, hanner mor
selog a phleidiol i'r Wladwriaeth ag yr oedd pan
oedd Cromwell yn fyw, ac ni fuasai ganddo unrhyw
wrthwynebiad i frenin fod eto yn teyrnasu ar y
wlad. Heblaw hynny, yr oedd Gruffydd, fel y mor-
ynion a'r gweision eraill ym Mhlas Bryn Mynach,
yn fodlon gwneud unrhyw beth i blesio Nest. Pan
oeddynt ar ganol y sgwrs, daeth Mared, y forwyn
newydd, i mewn ar ryw esgus, a thawodd Nest yn y
fan.

'Mae'n dda 'mod i'n ddyn tal,' meddai Gruffydd
wedi iddi fynd allan. 'Rydw i bron yr un taldra â
Syr Arthur,' ychwanegodd, gan droi yn sydyn i
gyfeiriad y ffenestr agored y tu ôl iddo a chodi i'w
chau. 'Rhag ofn i chi deimlo'n oer, meistres,'
meddai. Ond yr oedd yn amlwg mai er mwyn diog-
elwch y gwnaeth hynny.

Yr oedd y cynlluniau i gyd yn barod pan adawodd
Nest y gegin, a chysgodd yn dawelach y noson
honno nag a wnaethai ers amser.

Yr oedd niwl tew yn gorchuddio'r Eifl ac yn codi
o'r môr fel breichiau oerion gan guddio a dieithrio'r

wlad pan gychwynnodd Nest a Gruffydd ar eu taith am Fôn.

'Mae'r Eifl yn gwisgo'i chap, mi wela,' meddai Llywelyn ap Maelgwyn wrth ffarwelio â Nest. 'Mi fyddwch yng nghanol y mwrllwch wrth groesi bwlch yr Eifl a bwlch Swncwn. Ond synnwn i ddim na fyddwch allan ohono cyn cyrraedd Llanael-haearn. Mi ddof i'th nôl di a dy fam ymhen yr wythnos, Nest. Cofia fi ati.'

Cusanodd ei thad hi, ac yna cychwynnodd Gruff-ydd a hithau ar eu ceffylau i gyfeiriad yr Eifl, ar eu taith am y Felinheli. Aethant i ganol niwl trwchus wrth groesi llethrau'r Eifl fel mai prin y gallai'r ceffylau symud gam ymlaen ar hyd y ffordd erwin, garegog. Yr oedd y môr a'r tir yn un, ac araf iawn oedd eu taith. Ond diolchai Nest am y niwl gan y gwyddai ei fod yn gwneud pethau'n haws i Syr Arthur gyrraedd coedwig Clynnog heb i neb sylwi arno.

Wedi cyrraedd y gwastad ar ôl croesi'r Eifl, nid oedd pethau damaid gwell. Yr oedd yr Eifl nid yn unig yn gwisgo ei chap, ond wedi tynnu ei mantell o niwl trwchus i lawr hyd ei sawdl. Eto, yr oedd yn haws teithio ar y gwastad nag ar y llethrau. Ni fuont yn hir yn cyrraedd eglwys Clynnog, a rhodd-odd Gruffydd chwibaniad isel fel arwydd eu bod wedi cyrraedd. Atebwyd ef ar unwaith, a daeth Syr Arthur atynt, fel cysgod allan o'r coed.

A'r niwl yn drwm o'u cwmpas, aeth y tri i fwthyn Gruffydd. Cafodd Syr Arthur groeso cynnes gan Gruffydd a'i wraig. Rhoddodd yr uchelwr wisg ddiaddurn y gwas amdano, ac anodd fuasai adnabod Syr Arthur Vaughan, y Brenhinwr uchel ei dras, wrth edrych ar y gŵr a safai ar lawr y bwthyn yn awr. Gwisgai gôt lwyd dywyll a choler lydan o liain main gwyn arni, clos pen-glin a byclau yn ei gau yn y gliniau, hosanau gwlân llwyd-ddu, ac yr oedd ei wallt wedi ei dorri'n glòs wrth ei ben. Edrychai'n Seneddwr parchus a thrwsiadus.

Yr oedd yn rhaid cychwyn ar unwaith er mwyn dal y cwch. Yr oeddynt eisoes ar ôl yr amser gan fod y niwl ar lethrau'r mynydd. Ond diolch amdano a wnâi Nest a Syr Arthur. Fel y teithient ymlaen, lapiai o'u cwmpas fel carthen wlanog, wleb, nes peri i ddiferion ddisgyn o gudynnau modrwyog gwallt Nest fel defnynnau bargod.

Distaw iawn y teithient. Yr oedd calon Syr Arthur yn rhy lawn o ddiolchgarwch i'r eneth a oedd yn mentro cymaint er mwyn ei waredu, a chalon Nest yn rhy lawn o bryder ac ofn i rywbeth annisgwyl ddigwydd a pheri iddi fethu fel yr oedd wedi methu unwaith o'r blaen gyda'r papurau. Yr oedd rhyw anesmwythyd na allai ei esbonio wedi ei meddiannu, a'i hofnau yn cynyddu fwyfwy.

Cyflymodd y march ymlaen a dilynwyd hi gan Syr Arthur, ac yn fuan daethant i goed Glynllifon. Yr oedd y niwl erbyn hyn yn dechrau teneuo, a bonau'r coed praff i'w gweld am gryn bellter. Yn sydyn, clywai Nest ei chydymaith yn arafu ac yn peri i'w farch sefyll. Gwnaeth hithau yr un peth.

'Ust!' meddai Syr Arthur. 'Glywch chi sŵn carnau march yn carlamu?'

Gwrandawodd Nest yn astud, ond ni chlywai ddim ond su'r awel ysgafn a oedd yn prysur erlid y niwl o'r coed.

'Oes,' meddai Syr Arthur yn bendant. 'Mae rhywun yn marchogaeth yn gyflym y tu ôl inni.'

Ar y cychwyn, er gwrando yn astud, ni fedrai Nest yn ei byw glywed sŵn carnau meirch. Ond yr oedd Syr Arthur wedi byw wyneb yn wyneb â pheryglon rhyfeloedd ac yr oedd ei glust yn fwy tenau i'w amgylchedd na hi. Toc, fodd bynnag, daeth y sŵn i'w chlustiau hithau.

'Un march sy'n dod, ac mae'r marchog yn gyrru'n galed,' meddai'r Brenhinwr mewn cyffro. 'Gadewch i ni gyflymu o'i flaen os gallwn, er mwyn dal y cwch.'

'Wybod yn y byd pwy ydi o. Hwyrach nad oes a wnelo fo ddim byd â ni,' meddai Nest gan roddi sbardun i'w cheffyl nes peri i wreichion tân fflachio dan y pedolau dur. Yr oedd cymaint o sŵn gan garnau eu meirch eu hunain yn awr fel na wyddent a oedd y marchog yn dal i'w dilyn ai peidio.

Aethant trwy dref Caernarfon heb arafu dim, a safodd yr ychydig drigolion a ddigwyddai fod o gwmpas i edrych yn syn ar eu hôl. Yr oeddynt bron iawn â chyrraedd y Felinheli pan sylwodd Nest fod ei cheffyl yn dechrau cloffi, a rhaid oedd arafu. Gwnaeth yr uchelwr yr un modd.

'Mae carreg wedi mynd i'w garn,' meddai. 'Rhaid imi geisio ei thynnu. Yna mi fydd popeth yn iawn.'

Disgynnodd oddi ar ei farch, ac aeth ar ei liniau i dynnu'r garreg. Tra oedd wrth y gorchwyl, gallent glywed sŵn y marchog yn cyflymu y tu ôl iddynt.

'Does wybod ar y ddaear pwy ydi o, nac ar ba neges y mae o,' meddai Nest yn hyderus. 'Mae'n debyg nad oes arno fo eisiau ein gweld ni o gwbl, ond bod ein hofnau ni yn gwneud i ni amau popeth a dychmygu pob drwg. Gawsoch chi'r garreg? Do? Druan o Bess! Pwy bynnag ydi'r marchog, mi allwn gael y blaen arno eto, ond inni yrru'n gyflym.'

Ailgychwynnodd y ddau, Nest ar y blaen a Syr Arthur yn dilyn. Ond buan y gwelwyd na allai Bess deithio mor gyflym ag o'r blaen, ac er eu bod yn dal i garlamu, hawdd oedd clywed fod y marchog yn ennill tir. Yr oedd y niwl wedi clirio'n llwyr oddi ar y gwastad, er bod talpiau tew ohono yn gyndyn i adael brigau ucha'r coed.

Pan oeddynt yn agosáu at afon Menai, bron â chyrraedd y Felinheli, yr oedd y marchog bron ar eu gwarthaf. Yn sydyn clywsant lais croch.

'Arhoswch!' bloeddiodd. 'Arhoswch y funud 'ma, neu byddaf yn tanio!'

Aeth braw trwy galon Nest. Yr oedd ei hofnau wedi eu sylweddoli!

'Ewch!' meddai'n gynhyrfus wrth Syr Arthur. 'Ewch! Carlamwch am eich bywyd! Mi arhosaf fi i wynebu'r marchog! Ewch, Syr Arthur!'

'Na, nid felly chwaith,' atebodd yntau'n bwyllog, a'r funud nesaf dyma lais o'r tu ôl yn gweiddi drachefn.

'Arhoswch, Syr Arthur Vaughan! Rydw i'n eich cymryd i'r ddalfa yn enw'r Seneddwyr!'

Erbyn hyn yr oedd y marchog wrth eu hochr, a'i geffyl yn foddfa o chwys.

'Rydw i'n eich cymryd i'r ddalfa fel gelyn peryglus i'r Seneddwyr,' meddai drachefn, 'ac fel un sydd newydd ddianc o garchar Caer!'

Bu bron i Nest â llewygu. Ei thad oedd y marchog a welai wrth ei hochr, a'i lygaid mor llym â'i gledd.

Pennod 19

''Nhad!' meddai Nest. 'O, 'Nhad!'

Ni chymerodd Llywelyn ap Maelgwyn y sylw lleiaf ohoni.

'Rydw i'n deall eich bod, trwy ddichell un o'm teulu fy hun, ar eich ffordd i Gaergybi, er mwyn, mae'n debyg, hwylio oddi yno i ddiogelwch,' meddai gan edrych ar Syr Arthur. 'Wel, mi gewch fynd i Gaergybi. Mi ddof yno efo chi i wneud yn siŵr eich bod yn cyrraedd yno'n ddiogel. Mae carchar yno, ac mae amryw, fel y gwyddoch mae'n siŵr, wedi mynd eisoes i India'r Gorllewin o'r carchar hwnnw. Mynd yno yn gaethweision, Syr Arthur. Caethweision, sylwch. Ond yn ôl pob tebyg, nid hynny fydd eich tynged chi. Pan fydd gwŷr o dras yn dianc o garchar er mwyn cynllunio bradwriaeth, nid alltudiaeth fydd yn eu haros, ond rhywbeth gwaeth.'

'Mi fydd angau yn gymwynaswr mawr o'i gymharu â chaethwasiaeth,' meddai Syr Arthur yn dawel. 'Gwnewch fel y mynnoch â mi, ond wnewch chi wrando ar yr hyn sy' gen i i'w ddweud wrthych chi ar ran eich merch? Arna i y mae'r bai am hyn, arna i yn unig, yn manteisio ar ei charedigrwydd a'i thynerwch at ddyn oedd ar lawr. Roeddwn i wedi bod yn dihoeni yng ngharchar ac yn gweld llygedyn o olau dydd o'r diwedd. Fedrwn i ddim peidio â manteisio ar garedigrwydd a gwroldeb y ferch annwyl yma i gael fy nhraed o'r cyffion. Amdanaf fy hun, mi wn yn iawn beth fydd fy nhynged, a chredwch fi, dydi marw yn dychryn dim arna i. Rydw i wedi wynebu marwolaeth ormod o weithiau, ac mi fydd yn filwaith gwell na dihoeni mewn celloedd llaith am flynyddoedd.'

Tynnodd ei gledd o'r wain, a throdd ei garn tuag at Llywelyn ap Maelgwyn.

'Cymerwch fy nghleddyf,' meddai. 'Ar fy anrhyd-edd, mi ddof efo chi heb geisio dianc. Ond rydw i'n erfyn arnoch chi i faddau i'r eneth dlos yma, sydd â chalon mor dosturiol ganddi!'

Yr oedd Nest wedi ymollwng i wylo mewn anobaith ers meitin. Yr oedd popeth fel pe bai yn cynllunio yn ei herbyn. Tybed fod y sêr yn eu graddau yn ymladd yn ei herbyn, fel yr ymladdent yn erbyn Sisera gynt? Yn sydyn, torrodd geiriau ei thad ar draws ei meddyliau. Yr oedd yn siarad â Syr Arthur.

'Fuaswn i ddim yn gwybod dim am y cynllun yma,' meddai, 'oni bai i un o forynion Plas Bryn Mynach fod yn clustfeinio y tu allan i un o ffenes-tri'r gegin pan oedd fy merch anffyddlon a Gruffydd ddichellgar yn cynllunio â'i gilydd sut i'ch cael drosodd i Gaergybi fel Seneddwr.'

Edrychodd yn ddirmygus ar Nest, cyn troi at Syr Arthur.

'Mi ddylwn eich llongyfarch, Syr Arthur,' meddai, 'ar lwyddo mor dda i newid eich gwedd. Yn wir, fuaswn i byth wedi amau nad Seneddwr, a hwnnw'n un cyffredin, ydych chi, oni bai am Mared y forwyn. Mi feddyliodd hi fod fy merch ar ryw berwyl drwg o'i gweld yn trafod rhywbeth mor eiddgar gyda'r gwas ac mi aeth allan i wrando o dan y ffenestr agored. Wrth gwrs, wyddai'r eneth ddim pwy oedd y person yr oeddynt mor awyddus i'w gael drosodd i Fôn yn nillad Gruffydd. Ond pan ddaeth ataf i adrodd yr hyn a glywodd, mi amheuais yn y fan beth oedd wedi digwydd.'

Trodd Llywelyn at ei ferch, ac meddai mewn llais llym, miniog,

'Fe weli fod yn nhŷ dy dad rywrai sydd yn deyrngar iddo os yw ei blentyn ei hun yn dwyllodrus ac anffyddlon i'w phlaid a'i theulu.'

''Nhad! O 'Nhad!' llefodd Nest, a'i theimladau bron â'i llethu. 'Peidiwch â thorri 'nghalon i! Credwch fi. Rydw i'n eich caru chi â'm holl enaid. Mi rown fy mywyd drosoch yn llawen. Roeddwn i'n gwybod nad oeddwn i'n gwneud niwed yn y byd i chi wrth geisio arbed bywyd Syr Arthur Vaughan a'r gwŷr eraill. Ond pe bawn i'n meddwl fy mod yn gyfrifol am fywyd Syr Arthur, mai fi oedd yr achos iddo gael ei ddienyddio, fedrwn i ddim cael munud o heddwch na thawelwch meddwl tra byddwn byw ar y ddaear.'

'Wel, i hynna y mae hi wedi dod,' meddai ei thad yn sychlyd.

'Ie,' meddai Nest. 'Mi fyddai'n well gen inna gael marw hefyd. Mae 'mywyd i wedi mynd yn hollol ddiwerth yn fy ngolwg. Fi sy'n gyfrifol fod rhestr y cwlwm cêl yn eich llaw, 'Nhad, felly fi sy'n gyfrifol am fywydau gwŷr na wnaethant ddim erioed i mi.'

'O, fy Nuw! Fy Nuw! Y rhestr! Duw a drugarhao wrthym!' sisialodd Syr Arthur yn ei ing.

Ond yr oedd Nest wedi cynhyrfu gormod i sylwi fod Syr Arthur wedi ei gyffroi i waelod ei enaid pan glywodd fod ei bapurau yn nwylo'r gelyn.

''Nhad!' crefodd yr eneth eilwaith, a'i chalon yn carlamu'n ddireol, 'wnaeth y dynion yma ddim drwg i ni erioed. Pam, O pam, na wnewch chi drugarhau wrthyn nhw?'

111

'Maen nhw'n elynion i ti a thŷ dy dad, eneth,' meddai Llywelyn yn oeraidd, gan yrru ei geffyl ymlaen ar garlam. Gwnaeth Nest yr un peth.

'Dydw i ddim yn cyfri neb yn elyn, a hwythau erioed wedi gwneud niwed i mi, 'Nhad,' bloeddiodd.

Teimlai rhyw nerth yn dod iddi o rywle i ddweud ei meddwl yn glir ac yn groyw, yn lle ymollwng i wylo.

'Mi achubodd Hywel, mab Syr Arthur, fy mywyd i rhag boddi yng Ngharreg Llam. Yn ôl yr hyn a ddywedwch chi, 'Nhad, gelyn oedd Hywel i mi. Fe ddylasai fod wedi gadael i mi foddi. 'Nhad, gadewch i mi roi bywyd Syr Arthur yn ôl iddo fel tâl am i'w fab o achub fy mywyd i!'

Yr oedd Nest yn crefu mor daer fel na sylwodd eu bod wedi cyrraedd y Felinheli, lle yr arhosai'r cwch oedd i groesi'r Fenai. Torrodd ei thad ar ei thraws i roi gorchymyn i rywun i ofalu am y ceffylau a daeth swyddogion y doll i fyny i'w holi, i wneud yn sicr eu bod yn ddilys. Yna cawsant ganiatâd i fynd i'r cwch, a oedd eisoes yn hanner llawn. Nest a aeth i mewn gyntaf, yna Syr Arthur, ac yn olaf Llywelyn ap Maelgwyn.

Ni allai Nest edrych ar Syr Arthur. Daeth ias i'w chalon pan sylweddolodd fod y Brenhinwr yn gwybod yn awr am golled y blwch a'r papurau. Syllai'r eneth yn drist, anobeithiol, i'r dŵr tywyll. Nid oedd ond dwy ar bymtheg oed, a'i bywyd i gyd o'i blaen. Ond ni allai weld unrhyw werth ynddo yn awr. Ni allai byth anghofio iddi fod yn foddion i ddwyn nifer o Frenhinwyr anrhydeddus i'w di-enyddio. Yn eu plith byddai Syr Arthur Vaughan, yr uchelwr a eisteddai mor dawel a digyffro gyda hi

112

yn y cwch. Na, buasai marw yn felys o'i gymharu
â'r bywyd a oedd o'i blaen.

Yr oedd amryw yn teithio yn y cwch. Ffermwyr
oedd y rhan fwyaf ohonynt wedi bod drosodd yn
marchnata yn Sir Gaernarfon, ac ni ddychmygodd
yr un ohonynt am y berw a'r terfysg a lochesai ym
mynwes tri o'u cyd-deithwyr. Daliai Nest i syllu'n
bendrist i'r dŵr, ac nid oedd modd i neb weld
dwyster ac ing ei dau lygad glas. Edrychai'r teith-
wyr gydag edmygedd ar Lywelyn ap Maelgwyn, yn
teithio gyda'i ferch a'i was, yn ôl eu tyb hwy, i aros
yn rhyw blas neu'i gilydd ym Môn. Ychydig a
freuddwydient am y cyffro a'r loes oedd ym mynwes
yr eneth dlos a edrychai mor syn i ddyfnder Menai.

Cyrhaeddodd y cwch yr ochr draw, a glaniodd y
teithwyr. Ar ôl bodloni swyddog arall a arhosai'r
cwch, ymwahanodd y teithwyr ar hyd amrywiol
ffyrdd am eu cartrefi.

Cerddodd Llywelyn ap Maelgwyn ar hyd y
llwybr syth a arweiniai i fyny o lan y Fenai, a Syr
Arthur ychydig y tu ôl iddo. Gwibiai meddwl ter-
fysglyd Nest dros ddigwyddiadau'r diwrnod cynt.
Byddai popeth wedi mynd heibio'n hwylus pe bai
Mared, y forwyn newydd, heb wrando ac achwyn.
Ni fuasai yr un o'r morynion rheolaidd byth yn
gwneud y fath beth. Ni fuasai'r un ohonynt byth yn
bradychu Nest ar gyfrif yn y byd. Wel, yr oedd wedi
penderfynu un peth. Nid oedd am fynd gyda
gweision ei modryb i Fiwmares. Na, yr oedd am
ddilyn ei thad a Syr Arthur hyd y funud olaf.
Efallai y digwyddai rhyw wyrth ac y gallai helpu
Syr Arthur i osgoi yr hyn oedd yn ei aros, er y
gwyddai fod hynny yn amhosibl.

Cerddai i fyny'r llwybr a'i chalon fel talp o rew o'i mewn. Teimlai fel pe mewn breuddwyd, ac nid oedd yn gallu sylweddoli'n iawn beth oedd yn digwydd. Diolchai am hynny, ond gwyddai y deuai yn fuan i sylweddoli'n llawn ac y byddai digwyddiadau'r diwrnod yn aros gyda hi weddill ei hoes.

Erbyn hyn, yr oeddynt wedi cyrraedd croesffordd ar derfyn y llwybr. Arweiniai un ffordd ar y dde, i gyfeiriad Biwmares. Ar y ffordd honno gwelai Nest wŷr a cheffylau, a gwyddai mai o Gastell Biwmares yr oeddynt wedi dod. Arweiniai'r ffordd arall i'r chwith, i gyfeiriad Caergybi. Nid oedd yr un o'r tri wedi yngan gair ar eu ffordd o'r cwch i fyny, ond yn awr, trodd Llywelyn ap Maelgwyn at Syr Arthur.

'Syr Arthur,' meddai'n araf, fel pe bai'n dewis ei eiriau'n ofalus, 'dyna'r ffordd sy'n arwain am Gaergybi,' a chyfeiriodd â'i fys tua'r chwith. 'Wrth eistedd yn y cwch, rydw i wedi bod yn mesur a phwyso pethau ac rydw i wedi penderfynu bod cysur fy merch yn fwy yn fy ngolwg na'm dyletswydd i'm plaid. Does dim rhaid bod yn graff i weld fod ei dyfodol yn fy llaw i, i'w andwyo neu i'w wneud yn hapus. Rydw i wedi dewis ei wneud yn hapus. Mi achubodd eich mab fy unig blentyn, felly rydw innau yn rhoi eich rhyddid yn ôl i chithau.'

Tynnodd ei law o'i fynwes, ac estynnodd rywbeth allan.

'Dyma'r blwch yn cynnwys y rhestr yn ôl i chi. Cymerwch o. Cymerwch eich cledd hefyd. Does dim rhaid i mi ddweud wrthych fy mod wedi darllen y rhestr. Ond mi fyddaf, ar brydiau, yn ddrwg iawn fy nghof, o fwriad felly, ac rydw i eisoes wedi anghofio pob un o'r enwau sydd arni. Tyrd, Nest.'

114

Trodd ar ei sawdl a chychwynnodd i gyfeiriad Biwmares, at y gwŷr a oedd yn aros gyda'r ceffylau, gan adael Syr Arthur Vaughan yn sefyll yn syn ar y groesffordd yn edrych ar eu hôl, a'r blwch yn dynn yn ei law.

Pennod 20

Yr oedd misoedd wedi mynd heibio, a thawelwch yn teyrnasu unwaith eto ym Mhlas Bryn Mynach. Ni flinid y teulu gan na bwgan na'r un ymwelydd yn y nos. Yr oedd y profiadau y bu Nest drwyddynt wedi cryfhau ei chariad, pe bai hynny'n bosibl, at ei thad. Yn wir, yr oedd y gyfrinach a oedd rhyngddynt wedi dyfnhau eu serch at ei gilydd fel nad oedd dim yn ormod gan Nest ei wneud i'w thad, nac yntau iddi hithau. Nid oedd dim yn hanes Nest nad oedd ei thad yn ei ddeall ac yn ei wybod.

Bu arhosiad Nest yng Nghastell Biwmares yn hwy o lawer nag y meddyliodd ar y cychwyn. Yr oedd y fam wedi gwella cymaint fel y barnodd Llywelyn ap Maelgwyn yn ddoeth adael ei wraig a Nest yno am rai wythnosau.

Pan ddaethant yn ôl, aeth Nest, heb oedi, dros y rhiwiau geirwon unwaith eto i ymweld â'r bwthyn yng nghesail y winllan gnau ar unigeddau gerwin Carreg Llam. Teimlai'n hapus ryfeddol wrth fynd y tro yma, ac edrychai ymlaen at gael gweld Hywel a'i fam. Yr oedd yn ddiwrnod hafaidd, a'r môr oddi tani yn un arian byw, yn neidio, yn dawnsio ac yn disgleirio, fel y cerddai Nest yn heini trwy'r byrwellt a'r hafnau grugog. Daeth i olwg y bwthyn, yn llaid a llwyd ei furiau o dan ei orchudd o chwyn ac eiddew, a cherddodd i fyny at y drws yn ysgafn a nwyfus.

Ond yr oedd y bwthyn yn wag!

Oedd, yr oedd Hywel a'i fam wedi ymadael am byth â'r bwthyn, a theimlai Nest fod rhan o'i bywyd hithau yn dod i ben hefyd. Cododd awel fain o'r môr, a theimlai'r eneth nad oedd dim bellach ar drum Carreg Llam ond trwst dyfroedd yn fwrlwm dros greigiau ac oernadau'r gwylanod. Mynnai'r dagrau losgi ei llygaid ar ei gwaethaf.

Nid oedd modd i Nest wybod fod Hywel, ar orchymyn ei dad, y noson cyn y daith i Ynys Môn, wedi mynd i'r Alban i ymuno â byddin y Cadfridog Monk. Gwyddai'r tad yn eithaf da fod y glorian ar droi, a bod y cadfridog yn araf newid ei syniad ynglŷn â chael y Tywysog Siarl i'r orsedd, ac y byddai yr un mor deyrngar i'r orsedd, os byth yr eisteddai Siarl arni, ag y bu i Oliver Cromwell yn y gorffennol. Yr oedd y Fonesig a Mabli wedi mynd at gyfeillion yn Nyffryn Clwyd, ac yr oedd Syr Arthur, ar ôl bod ynghudd am ychydig amser yng nghartref cyfaill yng Nghaergybi, wedi llwyddo i groesi i Iwerddon, ac oddi yno i'r Iseldiroedd at y Tywysog.

Nid Syr Arthur oedd yr unig Frenhinwr o bell ffordd a oedd wedi gallu croesi at yr un yr edrychent arno fel eu brenin. Yn wir, yr oedd cannoedd o'r rhai a oedd wedi bod yn ymladd o blaid y Senedd, yn dal yn barod ac yn awyddus i roi Siarl ar orsedd ei dad.

Nid oedd neb i lenwi'r lle mawr gwag ar ôl Oliver Cromwell ac ni allai'r fyddin a'r Senedd gyd-dynnu.

Yr oedd anhrefn ym mhobman a manteisiodd Siarl ar y cyfle i anfon neges i'r Senedd o Breda yn sicrhau os byth y câi ddod yn ôl i deyrnasu, y byddai iddo faddau i holl elynion ei dad, y rhoddai bardwn am bob trosedd gwleidyddol, ac y câi pawb addoli fel y mynnai. Teimlai'r Cadfridog Monk, a'r fyddin yn gadarn y tu cefn iddo, yn bleidiol iawn i gael y Tywysog yn ôl, a phasiwyd i anfon dirprwy-aeth ato i Breda. Y canlyniad fu i rai o fawrion Cymru a Lloegr fynd dros y môr i'r Iseldiroedd i'w gyfarfod, a'r lleill i Lundain i'w dderbyn a'i groes-awu. Ymhlith y rhai a ddewiswyd i fynd dros y môr yr oedd Hywel, a mawr oedd llawenydd Syr Arthur o gael cyfarfod â'i fab o dan amgylchiadau mor wahanol i'r cyfarfyddiad ym mwthyn Carreg Llam.

Ar y nawfed ar hugain o Fai, 1660, glaniodd y Tywysog yn Lloegr i deyrnasu ar orsedd ei dad. Rhyfeddodd o weld y croeso a oedd yn ei aros gan Frenhinwyr a Seneddwyr fel ei gilydd. Daeth y Cadfridog Monk ag ef mewn rhwysg a mawredd i Lundain, ac anghofiodd y wlad bopeth am y Rhyfel Cartref. Anghofiodd am Oliver Cromwell, arwein-ydd y Seneddwyr, ac aeth yn orffwyll gan lawenydd o weld brenin ar yr orsedd unwaith eto.

Ychydig o wythnosau ar ôl y coroni, gwelodd y brenin newydd yn dda i anrhydeddu rhai o'i ddilyn-wyr ffyddlonaf, ac yn eu plith yr oedd Syr Arthur Vaughan. Yr oedd Hywel a'i fam hefyd yn Llundain yn cyd-lawenhau am fod eu holl ddymuniadau wedi eu sylweddoli. Ar ôl anrhydeddu'r tad, anfon-odd y brenin newydd am Hywel.

'Yr wyf am dalu i chithau hefyd am yr hyn a wnaethoch ar fy rhan, pan oedd ein hachos tan gwmwl,' meddai. 'Yr wyf yn bwriadu uno dau deulu, a dwy stad â'i gilydd, ac yr wyf wedi eich dewis chi, er mwyn eich tad dewr a fu'n dihoeni yng ngharchar, i fod yn dirfeddiannwr heb fod ymhell o'ch hen gartref. Eich tad fydd Arglwydd y Faenor, a chithau, wrth gwrs, fydd yr aer. Fel y dywedais, yr wyf wedi mynd i'r drafferth o ddewis gwraig i chi, un o'r merched hawddgaraf yng Ngwynedd.'

Dychrynodd Hywel drwyddo. Yr oedd yn ym-grymu o flaen y Brenin â'i lygaid tua'r ddaear. Ond yn awr, cododd ei olygon.

'Rydw i'n diolch o galon i chi, Eich Mawrhydi, am ymostwng i wneud hyn,' meddai yn gadarn ond yn wylaidd, 'ond maddeuwch i mi am feiddio gwrthod eich cais.'

'Beth?' taranodd y Brenin. 'Ydych chi'n meiddio gwrthod ufuddhau i gais y Brenin? Rydych chi'n eich anghofio eich hun! Cais? Na, nid cais mohono, ond gorchymyn!'

Yr oedd wyneb Hywel yn welw. Edrychodd yn gadarn ar y Brenin.

'Ni allaf ufuddhau hyd yn oed i orchymyn fy ngrasusaf frenin yn y peth hwn!' meddai.

'Yna cewch ddweud hynny wrth y ferch ei hun. Dyma i chi'r fraint o'i gwrthod!' meddai'r Brenin gan dynnu'r llenni melfed y tu cefn iddo.

Pan gododd Hywel ei olygon, gwelai Nest yn sefyll o'i flaen â'i llygaid glas yn disgleirio fel sêr.

'Dyma hi,' meddai'r Brenin, a gwên yn llechu yng nghil ei wefusau wrth adael yr ystafell. 'Gwr-thodwch hi os mynnwch!'

Ond dyna'r peth olaf a ddymunai Hywel ei wneud.